송강스님의

벽암록 맛보기

-2권-

(11칙~20칙)

벽암록 맛보기를 내면서

2021년 초에 불교신문사에서 새로운 연재를 부탁하기에 〈벽암록 맛보기〉라는 제목으로『벽암록(碧巖錄)』의 본칙(本則)과 송(頌)을 중심으로 1회 1칙씩을 연재하기로 했습니다. 정해진 지면에 맞추다 보니 여러 가지 도움이 될 장치를 생략하게 되었으나, 공부하기에는 크게 부족함이 없었습니다.

불교신문 독자들 가운데 책으로 공부하기를 원하는 분들이 많아서 이제 10칙씩을 묶어 한지제본의 〈벽암록 맛보기〉를 차례로 출판하기로 하였습니다. 불교신문 지면에 실린 내용에다 몇 가지 도움이 될 부분을 더하여 편집의 묘를 살린 것입니다.

참선공부는 큰 의심에서 시작되고,『벽암록(碧巖錄)』의 선문답은 본체 또는 주인공에 대한 의심을 촉발하기 위한 것입니다. 그러므로 의심을 일으킬 수 있는 정도로 설명은 간략하게 하고 자세한 풀이는 생략했습니다. 너무 자세한 설명은 스스로 의심을 일으키기는 커녕 자칫 다 알았다는 착각에 빠지게 하기 때문입니다.

이 책이 많은 분들에게 큰 의심을 일으킬 수 있는 기회가 된다면 참 좋은 법연(法緣)으로 생각하겠습니다.

2022년 여름 개화산자락에서

시우 송강(時雨松江) 합장

차 례

제11칙

황벽 주조
(黃檗酒糟)

황벽선사의
술지게미

"어떤 스승도
깨달음을 손에 쥐어줄 수는 없는 법"

정수사 대웅보전 어간문.
이 문을 열면 진짜 부처님을 만날 수 있을까?

황벽 희운(黃檗希運,?~850) 선사는 당대(唐代) 스님으로, 남악-마조-백장의 계보를 이은 선사다. 복건성 복주의 황벽산에 출가한 후, 강서성 백장산의 회해(懷海)선사의 제자가 되어 법을 이었다. 임제종(臨濟宗)의 개조(開祖)인 임제 의현(臨濟義玄)선사나 앞 칙에 등장한 목주선사가 그의 제자이다.

본칙(本則)

擧 黃蘗示衆云호대 汝等諸人이 盡是噇
거 황벽시중운 여등제인 진시당

酒糟漢이라 恁麼行脚인댄 何處有今日이
주조한 임마행각 하처유금일

리오 還知大唐國裏에 無禪師麼아 時有
환지대당국리 무선사마 시유

僧出云호대 只如諸方에 匡徒領衆은 又
승출운 지여제방 광도령중 우

作麼生이닛고 蘗云 不道無禪이요 只是無
자마생 벽운 부도무선 지시무

師니라
사

- **시중(示衆)**

  어른 스님이 대중에게 설법하는 것.

- **당주조한(噇酒糟漢)**

  당 · 송시대의 속어로 '끽주조한(喫酒糟漢)'이라고도 함. '술지게미를 먹는 놈'이라는 이 표현은 어른이 후배들을 아끼는 마음에서 꾸짖는 말. 깨닫지 못했다는 뜻임.

- **행각(行脚)**

  훌륭한 스승들을 찾아다니며 수행하는 것.

- **하처유금일(何處有今日)**

  '어느 때에 지금을 갖겠느냐?'의 뜻으로, 이는 황벽선사께서 후배들에게 "언제 지금의 나처럼 되겠느냐?"고 물은 것임.

- **광도령중(匡徒領衆)**

  후학들을 바로잡고 대중을 받아 통솔함.

이런 얘기가 있다. 황벽스님께서 대중에게 법문을 하셨다.

"그대들은 다만 술지게미나 먹는 자들일 뿐이다. 이처럼 떠돌아서야 어느 때 오늘을 갖겠느냐? 다시 이 큰 나라 안에 선사가 없음을 알겠는가?"

그때 어떤 스님이 나와서 말했다.

"그렇지만 도처에서 후학들을 바로잡고 대중을 받아들여 통솔하는 그런 이들은 다시 어떻습니까?"

황벽스님께서 말씀하셨다.

"선(禪)이 없다고 말한 것이 아니다. 다만 스승이 없다는 것이다."

강설(講說)

뛰어난 선지식은 부처님과 조사님들의 위대한 능력을 완전히 체득하여 인연 닿는 이들을 잘 지도한다. 무심히 내뱉는 한마디 말이나 대화가 사람들을 감동시키고 삶의 방향을 바꾸게끔 하며, 적절한 행위로 사람들을 옭아매고 있던 온갖 번뇌를 끊게 하여 대자유의 경지로 이끈다. 또한 모든 것을 초월해가는 잠재력이 있는 사람을 만나면, 그가 초월할 수 있도록 지도하여 큰 깨달음에 이르게 하는 것이다. 수행자는 그런 선지식을 만났을 때 재빨리 귀신 소굴에서 벗어나야 대장부라고 할 수 있다.

본칙(本則)

이런 얘기가 있다. 황벽스님께서 대중에게 법문을 하셨다.

"그대들은 다만 술지게미나 먹는 자들일 뿐이다. 이처럼 떠돌아서야 어느 때 오늘을 갖겠느냐? 다시 이 큰 나라 안에 선사가 없음을 알겠는가?"

강설(講說)

과연 황벽선사시다. 스승 백장선사를 치고 제자인 임제를 세 번이나 두들겨 팬 솜씨가 어디 가랴. 관행에 따라 이곳저곳 스승을 찾아 깨달음의 인연을 구하는 후학들에게 가차 없이 내갈겼다.

"뭐 진수성찬도 아니고, 그렇다고 신선들이 마실만한 귀한 술도 아닌 술지게미나 먹는 놈들 같으니라고. 그래가지고서야 언제쯤 자유로울 수 있겠는가 말이야. 그만큼 싸돌아 다녔으면 자네들 구해줄 선사가 없다는 것쯤은 알 것 아닌가?"

참 통렬하다. 정신이 번쩍 들어야 마땅한 일 아닌가. 공부하는 이들이 골수에 새겨야 할 말이다.

본칙(本則)

그때 어떤 스님이 나와서 말했다.

"그렇지만 도처에서 후학들을 바로잡고 대중을 받아들여 통솔하는 그런 이들은 다시 어떻습니까?"

황벽스님께서 말씀하셨다.

"선(禪)이 없다고 말한 것이 아니다. 다만 스승이 없다는 것이다."

강설(講說)

과연 공부하는 사람들은 쉽게 물러나지 않는다. 천하의 황벽선사라고 해도 따질 건 따져야 한다.

'황벽선사는 천하에 선사가 없다고 했지만, 그렇다면 황벽 자신을 비롯해 도처에서 헌신적으로 제자들을 지도하고 대중들을 이끌고 있는 수많은 선지식들은 대체 뭐란 말인가.'

바로 이것이 일반적인 생각들이다.

그러나 황벽스님이 깨우쳐주시려 했던 것은 일반적인 것이 아니다. 뻔히 알면서도 늘 잊어버리는 것을 일깨워주시려고 했던 것이다.

"선(禪)이 없다는 것이 아니라, 어떤 스승이라도 깨달음을 손에 쥐어줄 수 없다는 말이다."

이건 두루마기자락을 부여잡고 등 뒤에서 따르는 아들의 손을 떨쳐버리는, 비정한 듯이 보이는, 속이 무지 깊은 아버지의 솜씨다.

"넌 더 이상 어린애가 아니다. 그러니 그 무엇에도 의지하지 말라!"

송(頌)

凜凜孤風不自誇하고
늠 름 고 풍 부 자 과

端居寰海定龍蛇로다
단 거 환 해 정 룡 사

大中天子曾輕觸하야
대 중 천 자 증 경 촉

三度親遭弄爪牙로다
삼 도 친 조 롱 조 아

- **늠름고풍(凜凜孤風)**

  기풍이 늠름하고 독자적이며 드높음.

- **부자과(不自誇)**

  자부심이나 자존심을 갖지 아니함.

- **단거환해(端居寰海)**

  단정히 천하에 앉아서.

- **정룡사(定龍蛇)**

  용과 같은 수행자와 뱀과 같은 수행자를 지도함. 또는 용과 같은 수행자인지 뱀과 같은 수행자인지를 가려 정함.

- **대중천자증경촉(大中天子曾輕觸)**

  대중천자가 일찍이 살짝 건드렸다가.

늠름하고 고고한 기풍으로 자랑하지 않으며
단정히 천하에 앉아서 용과 뱀을 지도하도다.
대중천자가 일찍이 어설프게 건드렸다가
세 번 손톱과 어금니에 당하고 말았다네.

송(頌)

능름하고 고고한 기풍으로 자랑하지 않으며
단정히 천하에 앉아서 용과 뱀을 지도하도다.

강설(講說)

얼핏 황벽선사가 자기 자랑처럼 대중을 나무랐다고 오해하지 말지라. 황벽선사는 본디 거침없고 망설이지 않는 노인네다. 설두선사는 이 황벽노인네가 얼마나 자비롭고 거침없는 선지식인지를 침이 마르도록 칭찬하고 싶은 모양이다. 앞의 본칙을 보면 누구라도 그러고 싶지 않겠는가. 황벽선사는 용이라고 가까이하고 뱀이라고 버려두는 노인이 아니다.

황벽스님이 만행을 할 때 어떤 스님과 길벗이 되었다. 이윽고 개울에 이르게 되었는데 비로 불어난 물살이 매우 거칠었다. 황벽스님이 도저히 건널 수 없음을 알고 멈췄는데, 동행하던 스님은 거침없이 물 위를 걸어가며 어서 오라고 손짓을 했다. 황벽스님이 그 모습을 보면서 말했다. “참 고약한 놈이로다. 내 진즉 알았더라면 네놈의 다리를 분질러 놓았을 것이다."
이 말을 들은 그 스님이 감탄하며 말했다. "참으로 대승의 법기(法器)이시니 저로서는 미치지 못하겠습니다."
그리고는 홀연히 사라져 버렸다.

스승 백장선사를 모시고 살 때의 일이다.
어느 날 산에서 내려오는 황벽을 본 백장선사가 물었다.
"어디를 갔다 오는가."
"저기 대웅봉 아래에서 버섯을 따고 오는 길입니다."
"호랑이를 보지 못했는가?"
황벽이 호랑이 흉내를 내니 백장선사가 도끼를 들고 찍는 시늉을 하였다. 그러자 황벽이 잽싸게 한 대 갈겼다. 백장선사는 껄껄 웃으며 방으로 들어가 버렸다.
법문을 위해 법상에 오른 백장선사가 대중에게 말했다.
"대웅봉 아래에 호랑이가 있으니, 그대들은 조심하라. 늙은 나도 오늘 한 번 물렸다."

송(頌)

대중천자가 일찍이 어설프게 건드렸다가
세 번 손톱과 어금니에 당하고 말았다네.

강설(講說)

대중천자(大中天子)는 당(唐) 선종(宣宗) 황제다. 형인 목종(穆宗)이 재위 시에 아침 조례를 파하자 빈 황제의 자리에 어린 대중이 올라가 신하들을 대하는 자세를 취했는데, 대신들은 모두 왕자가 돌았다고 수군거리며 황제에게 이 사실을 고했다. 그러나 황제는 오히려 기뻐하며 "내 아우는 우리 집안의 뛰어난 후계자니라"하며 칭찬하였다.

목종이 타계하고 그의 아들인 무종이 황제의 자리에 올랐을 때, 대중(大中)이 옛날 황제의 자 리에 올라가 장난을 했던 것을 핑계로 때려죽여서 후원에 던져 버렸다. 죽은 줄 알았던 대중(大中)은 주변의 도움으로 살아났고, 향엄 지한선사가 머물던 절로 피신하여 사미계를 받은 상태로 수행을 하였다.

그 후 염관선사가 주석하던 절에서 서기(書記)를 맡

고 있을 때였다. 어느 날 황벽선사가 정성스레 예배를 하는데 대중이 물었다.

"불법승(佛法僧) 어디에도 구하지 말라고 했는데, 무엇을 구하여 예배하는 것입니까?"

"불법승 어디에도 구하지 않기에 이처럼 예배하는 것이니라."

"예배를 해서 무얼 하겠다는 겁니까?"

이 말을 듣자마자 황벽선사가 대중의 뺨을 후려쳤다.

"너무 거칠지 않습니까?"

"여기 무엇이 있다고 거칠다고 하는 것인가?"

그러면서 황벽선사는 또 다시 뺨을 후려쳤다.

뒷날 황제가 된 대중은 그때의 기억으로 황벽선사를 '행동이 거친 스님'이라는 뜻의 추행사문(麤行沙門)이라는 호를 내렸다. 황벽선사를 생불(生佛)처럼 모시던 상국(相國, 정승) 배휴가 황제에게 간청해서 다시 호를 단제선사(斷際禪師)라고 내렸다.

임제선사는 "불법의 핵심이 무엇입니까?"하고 황벽선사께 세 차례 물었다가 세 번 다 몽둥이로 두들겨 맞

고는 뒷날 깨달음에 이르러 임제종의 종조(宗祖)가 되었고, 대중은 세 번 말과 손으로 당한 뒤 이윽고 당(唐)의 선종(宣宗)황제가 되었다. 참 맞은 값을 제대로 한 것이지.

직접 당해봐야만 한다. 암! 그렇고말고. 제대로 당해보지 않으면 꼭 귀신 씨나락 까먹는 얘기를 하거나 앵무새처럼 영험 없는 말만 떠드는 법이다.

추행사문(麤行沙門)이라. '거친 스님'이라는 호칭에 선종황제의 감사의 뜻이 절절하구나.

제12칙

동산 마삼근 (洞山麻三斤)

동산선사의
삼베 세 근

"말을 따르는 자 죽고,
글귀에 걸리는 자 헤맬 것이다"

네팔 나가르콧에서 망원렌즈로 히말라야를 당겨 촬영하는 모습.
당길 수 있을까?
보여줄 수는 있을까?

중국의 선종기록에는 동산(洞山)스님이 많이 등장하는데, 그중에서도 가장 유명한 분이 동산 양개(洞山良价)선사와 동산 수초(洞山守初)선사다. 본칙에 등장하는 분은 동산 수초선사이다.

동산 수초선사는 5대(五代)에서 송초(宋初)에 걸치는 910년에서 990년까지 사신 분이다. 16세에 출가하여 처음에는 율(律)을 연구하였으나 뒷날 운문 문언(雲門文偃)선사에게서 지도 받고 깨달아 법제자가 되었다. 948년부터 호북성(湖北省) 양주(襄州)의 동산선원(洞山禪院)에 머물며 후학들을 지도하였기에 동산선사로 불린다.

본칙(本則)

擧 僧이 問洞山호대 如何是佛이닛고
거 승 문동산 여하시불

山이 云 麻三斤이니라
산 운 마삼근

이런 얘기가 있다. 어떤 스님이 동산선사께 여쭈었다.

"어떤 것이 부처입니까?"

동산선사께서 답하셨다.

"삼베 세 근이니라."

본칙(本則)

이런 얘기가 있다. 어떤 스님이 동산선사께 여쭈었다.

"어떤 것이 부처입니까?"

강설(講說)

불교수행의 목표는 성불(成佛) 즉 부처가 되는 것이다. 그렇기에 '부처란 무엇인가?'하는 이 의문은 수행자가 짊어진 짐이다. 이 짐은 내려놓으려 해도 내려놓을 수 없는 수행자의 운명과도 같은 것이다. 그러므로 수행자는 목숨을 던져 이 의문을 해결해야만 하는 것이다. 선어록을 보면 바로 이 의문을 선지식에게 질문한 것이 가장 많다. 스님들이 석가모니의 일대기를 몰라서도 아니고 선원에 불상이 없어서도 아니다. 오직 "어떤 것이 부처란 말인가?" 이렇게 의심해야 한다. 그 의심이 더 이상 나아갈 수 없는 단계에 이르면, 옛 어른들의 답이 폭풍처럼 모든 것을 날려버릴 것이다.

본칙(本則)

동산선사께서 답하셨다.

"삼베 세 근이니라."

강설(講說)

동산스님은 섬광과 같이 답하셨다. 그것을 따라잡으려면 귀신을 때려잡는 솜씨가 있어야만 가능할 것이다. 일설에 호북성(湖北省, 후베이성)은 삼베의 특산지라서 누구나 삼베옷을 입었다고도 하고, 또 삼베 세 근이면 한 벌 옷을 지을 수 있다고도 한다. 그러나 삼베 세 근을 저울에 달아서 평생을 들었다가 놓기를 되풀이해 보라. 삼베옷 이리저리 살피기를 100년을 해 보라. 동산스님과는 더욱 멀어질 것이다. 불교의 모든 해결책은 한결같다. 밖으로 내닫는 것을 그치고 돌이켜 봐야만 하는 것이다.

송(頌)

金烏急玉兎速이여
금 오 급 옥 토 속

善應何曾有輕觸가
선 응 하 증 유 경 촉

展事投機見洞山하면
전 사 투 기 견 동 산

跛鱉盲龜入空谷이로다
파 별 맹 구 입 공 곡

花簇簇錦簇簇이요
화 족 족 금 족 족

南之竹兮北之木이라
남 지 죽 혜 북 지 목

因思長慶陸大夫하니
인 사 장 경 육 대 부

解道合笑不合哭이로다
해 도 합 소 불 합 곡

咦
이

- **금오급 옥토속(金烏急玉兎速)**

  중국 전설에 해에는 금 까마귀가 살고 있으며 달에는 옥토끼가 살고 있다고 하였는데, 그로 인해 금오(金烏)는 해를 가리키고 옥토(玉兎)는 달을 가리킨다. 따라서 '금 까마귀처럼 급하고, 옥토끼처럼 빠름'은 시간이 재빨리 흘러감을 상징한다. 여기서는 스님의 질문에 대해 동산스님의 답이 신속했다는 뜻이다.

- **선응(善應)**

  '훌륭한 응대'라고 동산스님의 답을 칭찬한 것.

- **하증유경촉(何曾有輕觸)**

  어찌 가벼이 건드림이 있겠는가.

- **전사투기(展事投機)**

  '현상적인 것을 들어 근기에 맞춘 것'이라는 뜻.

- **파별맹구입공곡(跛鱉盲龜入空谷)**

  '절름발이 자라와 눈먼 거북이가 빈 골짜기에 든다.'는 이 구절은 어리석은 사람이 본래의 목적지에 이르지 못하고 엉뚱한 곳에 이른 것을 가리킬 때 흔히 인용된다.

- **족족(簇簇)**

  여러 개가 들어선 모양이 빽빽함.

- **육대부(陸大夫)**

  남전(南泉)선사의 속가 제자인 육환대부(陸亘大夫). '대부'는 벼슬 이름.

금 까마귀처럼 급하고 옥토끼처럼 빠름이여!

멋들어진 응대니 어찌 이에 가벼이 받음이 있겠는가.

현상적인 것을 들어 근기에 맞췄다고 동산을 파악한다면,

절름발이 자라와 눈먼 거북이가 빈 골짜기에 드는 격이로다.

꽃도 수북하고 비단도 수북함이요,

남쪽의 대이며 북쪽의 나무로다.

이로 말미암아 장경화상과 육환대부를 생각하나니,

웃어야 옳지 우는 것은 옳지 않다고 말할 줄 알았구나.

쯧!

송(頌)

금 까마귀처럼 급하고 옥토끼처럼 빠름이여!

멋들어진 응대니 어찌 이에 가벼이 받음이 있겠는가.

강설(講說)

동산선사는 즉각 '삼베 세 근'이라고 답하였다. 그 신속하고 딱 들어맞음을 해와 달의 신속함으로 표현했다. 그러나 오히려 너무 느긋한 비유라고 할 것이다. 얼마나 멋들어진 응수인가! 그럼에도 사람들이 이러니 저러니 하며 헤집어 놓아 가벼이 만들어 버리는데, 결코 그렇지 않음을 눈 밝은 이라면 알 터이다.

송(頌)

현상적인 것을 들어 근기에 맞췄다고 동산을 파악한다면,

절름발이 자라와 눈먼 거북이가 빈 골짜기에 드는 격이로다.

강설(講說)

'삼베 세 근'이라는 말을 그냥 '삼베'와 '세 근'에 떨어져서 현상을 빌렸느니 사물을 가져왔느니 하지만, 그래서야 어디 동산선사의 그림자인들 보겠는가. 그런 견해는 마치 온전치 못한 자라와 거북이가 빈 골짜기에 들어간 것과 같은 것이니, 어느 세월에 고향으로 돌아가겠는가.

송(頌)

꽃도 수북하고 비단도 수북함이요,
남쪽의 대이며 북쪽의 나무로다.

강설(講說)

이 구절은 설두스님께서 스승 지문 광조(智門光祚) 화상의 일화를 가져온 것이다.

어떤 스님이 지문화상에게 물었다.

"동산선사께서 '삼베 세 근'이라고 한 뜻이 무엇입니까?"

"꽃도 수북하고 비단도 수북하다."

강설(講說)

삼매 세 곳이라는 말을 고봉 선사의 체험에 빌어 해서 설명을 했으나 사족을 가져왔으니 하지만, 그래서야 어디 동산선사의 그림자인들 보겠는가. 그런 경계는 마치 은산철벽 뚫힌 자라와 거북이가 한 [illegible]이 들어간 것과 같은 것이니, 어느 세월에 고향으로 돌아가겠는가.

송(頌)

꽃도 수북하고 비단도 수북함이요,

남종의 메아리 북종의 가루로다.

강설(講說)

이 구절은 석두스님께서 스승 지문 광조(智門光祚) 화상의 일화를 가져온 것이다.

어떤 스님이 지문화상에게 물었다.

"동산선사께서 삼매 세 곳이라고 한 뜻이 무엇입니까?"

"꽃도 수북하고 비단도 수북합니다."

"모르겠습니다."

"남쪽의 대이며 북쪽의 나무니라."

지문화상에게 질문을 했던 스님이 다시 동산선사께 찾아가 그대로 전했는데, 동산선사는 대중들에게 말하겠다고 하며 답을 미뤘다. 법상에 오른 동산선사는 다음과 같이 자신의 뜻을 밝혔다.

"말로는 현상적인 것을 펼칠 수 없고(言無展事),
대화로 상대를 지도할 수 없다(語不投機).
말을 따르는 자는 죽을 것이고(承言者喪),
글귀에 걸리는 자는 헤맬 것이다(滯句者迷)."

할 말을 다 끝낸 줄 알았더니, 설두 노인네가 자비심이 지나치다. 이처럼 자신의 스승과 동산선사의 자세한 부연설명까지 가져왔으니 말이다.

송(頌)

이로 말미암아 장경화상과 육환대부를 생각하나니,
웃어야 옳지 우는 것은 옳지 않다고 말할 줄 알았구나.

강설(講說)

설두 노인네는 아직도 마음이 놓이지 않나 보다. 육환 대부와 장경화상의 일화까지 인용하고 있다.

육환대부는 남전(南泉)선사의 속가제자이다. 육환이 선주(宣州) 관찰사로 있을 때 스승 남전선사께서 입적하신 소식을 듣고 달려갔다. 남전선사의 영전에 이른 육환이 껄껄 웃자 원주스님이 말했다.

"큰스님과 대부는 스승과 제자의 관계인데, 어찌 곡을 하지 않고 웃는단 말이오?"

"한 마디 한다면 곡을 하겠습니다."

원주가 말이 없자 육환이 소리 내어 울며 말했다.

"아이고, 아이고! 스승님이 세상을 떠나신 지 오래되었구나."

뒷날 장경 대안(長慶大安)화상이 이 얘길 듣고는 평하였다.

"대부가 웃었어야 마땅한데, 곡을 한 것은 옳지 않다."

참 멋진 말이다. 그러나 곡을 하건 박장대소를 하건

무엇이 문제란 말인가. 괜스레 긁어 부스럼을 만들고, 그 부스럼 덮느라고 바쁘다.

그나저나 이 영감님이 어쩌자고 이리도 말을 많이 한단 말인가?

송(頌)

쯧!

강설(講說)

아하! 영감님이 비장의 무기를 잃지는 않았구나. 이전의 모든 것을 말끔히 청소하는 멋진 빗자루를 쓸 줄 아는구나. "쯧!" 이 한마디로 빚을 갚는구나.

과연 그럴까…?

제13칙

파릉 제바종
(巴陵提婆宗)

파릉선사,
제바종을 말씀하십

선사는 '하얀 은 주발에 소복한 눈'
이라며 미소로 답했다

얼음과 눈과 구름이 어우러진 남극의 풍광.
얼음과 눈과 구름을 구분하려 애쓰지 말고
바로 시원해져야 한다.

파릉(巴陵)선사는 법명이 호감(顥鑒)이며 운문선사의 법제자이다. 생몰연대도 전하지 않으며, 악주(岳州) 파릉현(巴陵縣)의 신개원(新開院)에 주석했기에 파릉선사 또는 신개선사라고도 한다.
파릉은 아름다운 호수인 동정호(洞庭湖)의 동쪽에 있으며 경관이 매우 뛰어난 곳으로 유명하다.

본칙(本則)

擧 僧이 問巴陵호대 如何是提婆宗이닛고
거 승 문파릉 여하시제바종

巴陵이 云 銀碗裏盛雪이니라
파릉 운 은완리성설

• **제바종(提婆宗)**

중국의 선어록에 '제바종'에 대한 질문이 자주 등장한다. 그만큼 스님들의 관심을 끌었던 종파였음을 알 수 있다. 제바종은 중국에서 그 위력을 크게 떨쳤던 삼론종의 다른 이름이다. 삼론종(三論宗)은 용수보살(龍樹菩薩)의 〈중론(中論)〉 〈십이문론(十二門論)〉과 제바존자(提婆尊者)의 〈백론(百論)〉 등을 주요 경전으로 삼아 성립된 종파이다. 중국에 불경을 전한 구마라집(鳩摩羅什, Kumārajīva) 스님이 바로 이 맥을 이은 분이다. 삼론종의 종지는 공(空)을 바탕으로 한 중도(中道)를 역설한 종파로 보면 된다.

"무엇이 제바종입니까?"라는 질문은 '제바종에서 주장하는 핵심이 무엇입니까?'라는 뜻이다.

이런 얘기가 있다.

어떤 스님이 파릉선사께 여쭈었다.

"어떤 것이 제바종의 종지입니까?"

파릉선사가 답하셨다.

"은 주발에 담은 눈이니라."

본칙(本則)

이런 얘기가 있다. 어떤 스님이 파릉선사께 여쭈었다. "어떤 것이 제바종의 종지입니까?"

강설(講說)

앎과 모름의 분별 경지에서야 기어코 옳다고 매달리는 끝자락이 있고, 옳고 그름에 목숨을 걸 때는 그게 최고인 것처럼 느껴진다. 그런데 모든 것이 다 드러나버린 다음에는 감추려 해도 감출 수 없고, 나누려 해도 나눌 길이 없다. 그래서 달마영감님은 "다 드러난 자리에서는 성스러울 것도 없다"고 했었지.

그런데 공부한다고 하는 사람들을 보면 어찌 그리도 양극단으로 치닫고, 도를 안다고 하면서도 어찌 그리도 분별이 심한지 쯧쯧!

자신의 주인공을 살펴보라! 차갑기로는 얼음보다 더하고 뜨겁기로는 용광로도 무색하지. 크기로야 우주를 담고도 남고 작을 때는 전자현미경으로도 찾을 수가 없다네. 너무나 깊기에 석가모니도 봤다고 말할 수 없고, 참으로 비밀스럽기에 온갖 신통 갖춘 천신이나 마왕 파순이 짐작도 할 수 없는 것이라네.

그런데 어째서 바깥일에만 그렇게들 신경 쓰시나? 눈에 보이고 귀에 들리는 것만이 행복을 보장한다고 누가 그러던가? 모든 것 다 부정해야만 자유롭다고 또 누가 헛소리를 하던가? 그런 건 어린아이 울음을 그치게 하려는 수작일 뿐이라네.

석가모니와 함께 걸을 수 있고 달마조사와 함께 앉을 수만 있다면 얼마나 좋으랴. 그건 그렇다고 해두고, 우선 남의 말에 놀아나지는 말아야지. 어떻게 해야 모든 사람들이 입을 다물게 할 수 있을까? 그런 말 한마디는 할 수 있어야 하지 않겠는가.

많이 배우면 될까? 오래 수행하면 될까? 나이가 많으면 가능해질까? 그런 것으로는 불가능하다는 걸 이미 아시지 않는가.

수행자들의 공부는 모든 것에 대한 의문으로 시작한다. 중국에서는 여러 종파가 힘을 떨쳤지만 특히 삼론

종의 영향은 대단히 컸다고 볼 수 있다. 당시 공부하던 이들로서는 당연히 그 핵심적인 가르침이 궁금했을 것이며, 또한 선사들의 가르침과는 어떤 차이가 있는지를 알고 싶었을 것이다. 핵심에 이르는 것, 바로 이것이 공부의 첫걸음이다.

본칙(本則)

파릉선사가 답하셨다. "은 주발에 담은 눈이니라."

강설(講說)

여기 한 용기 있는 스님이 파릉선사께 단도직입적으로 질문을 던졌다.

"제바종에서는 대체 뭘 가르치는 겁니까?"

이 까칠한 질문에 대해 파릉선사는 미소를 머금고 시를 읊듯 답을 던지셨다.

"하얀 은 주발에 소복한 눈!!"

파릉선사와 같은 분도 드물다. 유머감각 뛰어나시고 문학적이시며 게다가 탁월한 지혜의 안목이라니. '하야 은 주발에 소복한 눈'이라는 이 말씀을 접하는 순간 바다같이 드넓은 동정호를 보듯 시원해지고, 동정호숫가에 흐드러지게 핀 꽃을 보듯 미소가 피어올라야 할 것이다. 그리면서 무릎을 탁 치며 "그렇지!!"라고 할 수 있어야 한다.

송(頌)

老新開여 端的別이로다
노신개 단적별

解道銀椀裏盛雪하니
해도은완리성설

九十六箇應自知하리라
구십육개응자지

不知却問天邊月하라
부지각문천변월

提婆宗提婆宗이여
제바종제바종

赤旛之下起清風이로다
적번지하기청풍

- **노신개(老新開)**

신개(新開)는 파릉선사가 머물며 후학을 지도했던 신개원(新開院)이면서 파릉선사의 별호(別號)이기도 함. 따라서 '노신개'는 '늙으신 신개선사' 또는 '신개 어르신' '신개원 노스님' 등으로 풀이할 수 있음.

- **구십육개(九十六箇)**

부처님 당시의 96종의 학파. 불교와는 다른 가르침을 펼쳤다는 뜻에서 모두 외도(外道)라고 칭함. 외도(外道)라는 말에는 '진리에서 벗어난 그릇된 가르침'이라는 뜻도 숨겨져 있음.

- **적번지하(赤旛之下)**

'붉은 깃발 아래'. 붉은 깃발은 가나제바존자의 교화와 관련된 것으로, 외도와의 논쟁에서 승리했던 것을 뜻함.

옛날 인도에서는 여러 학파 사이에 서로 논쟁을 하여 승패를 가리는 경우가 많았는데, 이때 왕을 비롯한 많은 이들이 지켜보는 가운데 공개적인 논쟁을 하였다. 결과에 따라 이긴 사람은 붉은 깃발을 가지고 진 사람은 그 깃발 아래에 서서 승자의 말에 따라 목숨까지도 잃게 된다는 것이다. 가나제바존자는 많은 외도들과 논쟁을 하여 그들을 불교에 귀의시켰다.

신개원의 파릉 노장님은 과연 특별하시네.

은 주발에 소복한 눈이라고 말할 줄 아시다니.

구십 육종의 외도들은 아마도 스스로 알 것이야.

그래도 모른다면 차라리 저 하늘가 달에게 물어보던가.

제바의 종지여, 가나제바존자의 가르침이여!

승리의 깃발 아래 맑은 바람이 일어나도다.

송(頌)

신개원의 파릉 노장님은 과연 특별하시네.

은 주발에 소복한 눈이라고 말할 줄 아시다니.

강설(講說)

설두 노인네가 파릉선사를 얼마나 귀하게 생각하는지 알겠다. "과연 특별하시다"고 단언하다니. 그런데 이 노인네가 은근히 사람들 눈을 흐리게 하는 줄을 모르는구먼. '천지에 가득한 것'을 두고 특별하다고 침이 마르도록 칭찬하고 나면 뒷일을 어떻게 하려고 그러시나?

송(頌)

구십 육종의 외도들은 아마도 스스로 알 것이야.

그래도 모른다면 차라리 저 하늘가 달에게 물어보던가.

강설(講說)

어찌 저 머나먼 과거지사까지 들먹이며 손에 쥐어주

려고 애를 쓰시나? 하긴 쓴맛을 본 이들이라면 '단맛'이 어떤지를 확실히 알긴 하지. 가나제바존자에게 항복한 외도들이라면, 그의 가르침이 어떤지 굳이 남의 설명 들을 게 없겠지. 그래도 모르는 놈이라면 어쩌누. 아득한 하늘가 달이나 쳐다보고 한숨을 푹푹 쉬든가. 아! 그러다 알아차릴 수도 있겠구먼.

송(頌)

제바의 종지여, 가나제바존자의 가르침이여!
승리의 깃발 아래 맑은 바람이 일어나도다.

강설(講說)

언제나 말하는 것이지만 설두 노인네는 좀 지나친 면이 있다. 고래고래 고함을 지르며 사람들 이목을 집중시켜 놓고는, 보자기를 다 풀어 놓고 말다니…. 하긴 제바존자가 일으킨 바람에 정신 차린 사람이 헤아릴 수 없이 많았다지.

하지만 착각하지 말게나. 그 보따리에 갇힐 수도 있고, 그 바람에 날아가 버릴 수도 있느니!

제14칙

운문 대일설
(雲門對一說)

운문선사의
상대적 말씀

"운문스님은
순식간에 팔만대장경을 먼지로…"

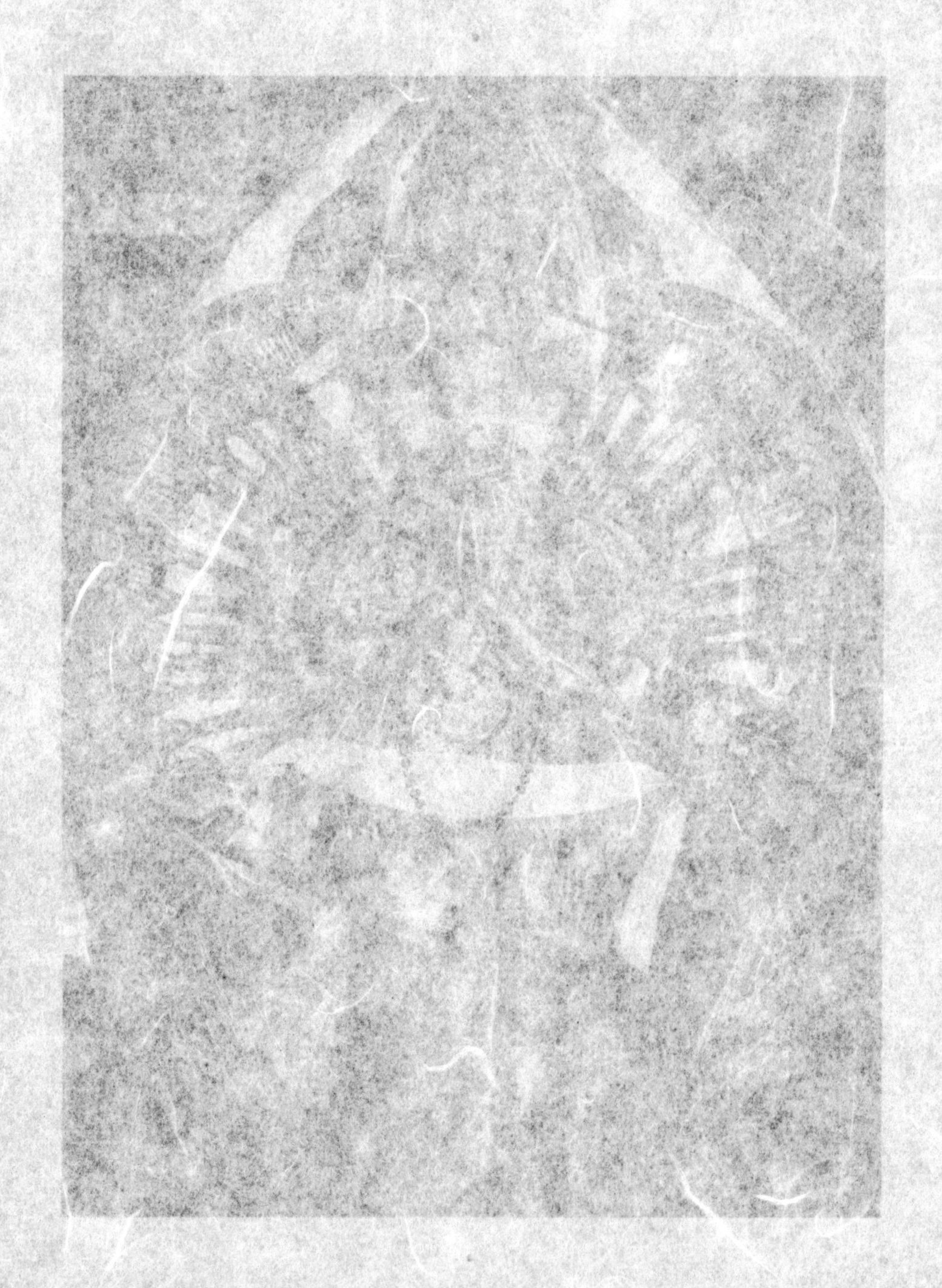

관세음보살님의 손과 눈이 몇 개인지 헤아리려 들면 이미 어긋났다.

강설(講說)

교학을 공부하다 보면 여러 경론을 접하면서 서로 우열을 논한다거나 옳고 그름을 따지는 일들이 벌어진다. 누구나 자기가 전공한 경론에 무게를 두는 것이야 인지상정이라고 할 수는 있지만, 깨달음의 분상에서 말하자면 참으로 부질없는 일이다. 하지만 이 부질없는 일이 실제로 역사상 일어났었다. 처음에는 상좌부(上座部)와 대중부(大衆部)로 갈라졌는데, 요즘 방식으로 표현하자면 보수파와 진보파이다. 그것이 점점 더 나눠지면서 나중에는 20여 개 부파로 갈라졌고, 각 부파마다 자신들이 중시하는 것에 대한 논문을 발표하기 시작했다. 흔히 이를 부파불교시대(部派佛敎時代)라고도 하고, 논서(論書)들 또는 논장(論藏)이 이루어진 시대라는 뜻으로 아비달마(Abhidharma)시대라고도 한다.

운문선사가 활동하시던 시절의 중국불교도 교학연구가 매우 활발했던 시기였기에 아마도 '부처님께서 가르치신 말씀의 핵심이 무엇인가?'하는 의문이 많았을

생이다. 정상에 이르고 나면 어떤 길이 옳고 어떤 것이 그르다고 할 것이 없지만, 공부하는 사람들의 입장에서는 초미에 무엇이 가장 확실한지 혼란스러울 수 있기 때문이다.

산에는 정상으로 오르는 수많은 등산로가 있다. 어느 길을 따라 오르건 정상에 올라 세상을 다 살핀 사람들에게는 어떤 길이건 정상으로 통한다는 것을 알기에 서로 다툴 필요가 없다. 그러나 정상에 이르지 못하고 한 방위의 산자락만을 본 사람들끼리는 서로 자기가 본 산자락이 옳다고 우길 수 있다.

큰 나무의 줄기·뿌리 가지를 살펴보면 모습이 비슷하다. 같아서 가지만을 비교하고 따진다면 다른 나무라고 결론 내릴 수도 있다. 하지만 큰 몸통가지를 살펴보면 사방의 가지가 환경과 영향으로 조금씩 다른 모양이 되었을 뿐으로, 사실은 한 나무임을 바로 알게 된다. 따라서 살펴보면 더 이상 논쟁할 필요가 없는 것이다.

것이다. 정상에 이르고 나면 어떤 것이 옳고 어떤 것이 그르다고 할 것이 없지만, 공부하는 사람들의 입장에서는 도대체 무엇이 가장 핵심인지 혼란스러울 수 있기 때문이다.

산에는 정상으로 오르는 수많은 등산로가 있다. 어느 길을 따라 오르건 정상에 올라 사방을 다 살핀 사람들에게는 어떤 길이건 정상으로 통한다는 것을 알기에 서로 다툴 필요가 없다. 그러나 정상에 이르지 못하고 한 방위의 산자락만을 본 사람들끼리는 서로 자기가 봤던 산자락이 옳다고 우길 수 있다.

큰 나무의 동서남북 가지를 살펴보면 조금씩 다르다. 만약 가지만을 비교하고 따진다면 다른 나무라고 결론 내릴 수도 있다. 하지만 큰 몸통까지를 살펴보면 사방의 가지가 환경적 영향으로 조금씩 다른 모양이 되었을 뿐으로, 사실은 한 나무임을 바로 알게 된다. 뿌리까지 살피면 더 이상 논쟁할 필요가 없는 것이다.

본칙(本則)

擧 僧이 問雲門호대 如何是一代時敎이닛
거 승 문운문 여하시일대시교

고 雲門이 云對一說이니라
운문 운대일설

이런 얘기가 있다. 어떤 스님이 운문선사께 여쭈었다.

"어떤 것이 부처님께서 평생 말씀하신 가르침입니까?

운문선사가 답하였다.

"상대적인 한 말씀이지."

- **일대시교(一代時敎)**
  일대교(一代敎)라고도 한다. 여기서 복잡하게 천태대사의 교상판석(敎相判釋)까지 가져와 오시팔교(五時八敎)를 설명하는 것은 현명한 처사가 아니다. 여기서는 '부처님께서 평생 말씀하신 가르침' 정도로 해석하면 좋겠다.
- **대일설(對一說)** 상대적인 한 말씀.

본칙(本則)

擧 僧이 問雲門호되 如何是一代時敎이닛고 雲門이 云 對一說이니라

이런 얘기가 있다. 어떤 스님이 운문선사께 여쭈었다.

"어떤 것이 부처님께서 평생 말씀하신 가르침입니까?"

운문선사가 답하였다.

"상대적인 한 말씀이지."

· 일대시교(一代時敎)

일대교(一代敎)라고도 한다. 여기서 특정하게 천태대사의 교상판석(敎相判釋)에서 가리킨 오시팔교(五時八敎)를 설정하는 것은 합당한 해석이 아니다. 여기서는 '부처님께서 평생 말씀하신 가르침' 정도로 해석하면 좋겠다.

· 대일설(對一說): 상대적인 한 말씀.

강설(講說)

부처님께서 말씀하신 경전을 모두 살펴보라. 표현이 모두 다르다. 주제도 다르고 주제에 따른 설명도 다르다. 부처님 말씀을 응병여약(應病與藥)이라고 한다. 이는 의사나 약사가 환자들의 병에 따라서 다른 약 처방을 하듯이 대하는 사람이 어떤 문제점을 안고 있느냐에 따라 다른 해결책을 제시하셨다는 뜻이다. 뿐만 아니라 같은 사람이라도 그가 변비일 때와 설사를 할 때의 약 처방이 달라지듯, 같은 사람이라도 그가 괴로워하는 문제에 따라 전혀 다른 해법을 제시하셨다. 표현만으로는 정반대인 말씀도 있다. 상태에 따라 살을 빼라고도 하고 살을 찌우라고도 한다.

부처님의 가르침을 대기설법(對機說法)이라고도 하는데, 이는 듣는 사람의 역량에 따라 맞추다 보면 같은 문제를 가진 사람들이라도 전혀 다른 각도의 해법을 말씀하셨다는 뜻이다. 그러므로 표현된 해법을 절대적인 것처럼 집착하면 큰 오류를 범할 수도 있다.

그래서일 것이다. 부처님께서는 열반에 드시면서 '나는 한마디도 하지 않았다'고 말씀하셨단다. 45년간이나 쉼 없이 가르침을 펴셨던 분이 한마디도 하지 않으셨다는 것은 무얼 뜻할까? 그건 말에 진리가 있는 것이 아니라는 뜻이다. 다시 말해 말씀을 남겨 기억시키는 데에 부처님의 목적이 있었던 것이 아니라 괴로움으로부터 해탈할 수 있도록 인도하기 위해서 말이라는 방편을 활용하셨다는 것이다. 이것은 좌선이나 다른 수행법도 마찬가지다. 어떤 방법에 절대성이 있는 것이 아니다. 그러니 그 말씀들을 모은 갖가지 경전을 두고 우열을 가리는 것이나 수행법의 우열을 가리는 것은 아무런 가치도 없는 것이다. 끝까지 정진해서 해탈하느냐, 아니면 포기하고 해탈하지 못하느냐의 문제일 뿐이다.

아마도 질문을 던진 스님은 이런 문제에 대해 운문선사의 명쾌한 답을 듣고 싶었던 모양이다. 과연 운문스님은 사람들을 실망시키지 않으신다.

"상대적인 한 말씀이지!"

질문한 스님은 문제를 해결했을까?

아참! 운문선사께서 마음으로 일갈하신 것은 말로는 표현되지 않았으니, 이를 어쩌나? 감춰진 그 일갈이 진짜인데….

송(頌)

對一說太孤絶이여
대 일 설 태 고 절

無孔鐵鎚重下楔이로다
무 공 철 추 중 하 설

閻浮樹下笑呵呵하니
염 부 수 하 소 가 가

昨夜驪龍拗角折이로다
작 야 려 룡 요 각 절

別別이라
별 별

韶陽老人得一橛하니라
소 양 노 인 득 일 궐

- **고절(孤絕)**

  예를 찾을 수 없을 만큼 뛰어남.

- **무공철추(無孔鐵鎚)**

  구멍 없는 쇠망치. '구멍 없는 피리(무공적, 無孔笛)'라거나 '줄 없는 거문고(몰현금, 沒絃琴)' 등의 표현과 같음.

- **염부수하소가가(閻浮樹下笑呵呵)**

  염부나무 아래에서 껄껄 웃다. 염부수는 염부제 즉 우리가 사는 세상을 뒤덮는 나무를 상징. 따라서 '온 세상 가득하게 껄껄대고 웃으니' 정도로 번역하면 됨.

- **여룡(驪龍) 검은 용.**

  여기서는 지식에 능한 이를 가리킴.

- **소양노인(韶陽老人)**

  운문스님을 가리키는 별칭.

상대적인 한 말씀이라니 너무나 뛰어나구나.
구멍 없는 쇠망치로 거듭 쐐기를 박도다.
온 세상 가득하게 껄껄대고 웃으니,
지난 밤 검은 용 뿔이 꺾여 부러졌네.
다르구나 달라!
운문스님이 한 그루터기를 얻었구나.

송(頌)

상대적인 한 말씀이라니 너무나 뛰어나구나.
구멍 없는 쇠망치로 거듭 쐐기를 박도다.

강설(講說)

운문스님께서 딱 잘라 말씀하신 "상대적인 한 말씀"은 팔만대장경을 순식간에 먼지로 만들어 버렸다. 그러니 먼지를 두고 또 이 먼지가 나으니 저 먼지가 위대하다느니 하겠는가? 그럴 사람이 있고말고!

운문영감님이 자루도 없는 쇠망치를 휘둘러 모양 없는 쐐기를 박으셨으나, 그게 무슨 소용이람. 귀머거리와 봉사는 천만년이 흘러도 더듬고 있다.

송(頌)

온 세상 가득하게 껄껄대고 웃으니,
지난 밤 검은 용 뿔이 꺾여 부러졌네.

강설(講說)

가소롭다. 성질 사납고 재주 많은 검은 용이여! 천지

를 뒤흔드는 웃음소리에 혼이 나가 뿔이 꺾이고 마는구나. 그러게 내 뭐라고 했나. 영험 없는 뿔 따위를 자랑하지 말라고 하지 않던가. 그래도 세상에는 광채도 없는 싸구려 뿔 자랑하는 무리로 가득하지.

송(頌)

다르구나 달라!
운문스님이 한 그루터기를 얻었구나.

강설(講說)

천하 사람들이 가지나 잎사귀를 모아 뽐내고 자랑해도 돌아보지 않는 사람이 있다네. 화엄의 꽃으로 코를 풀고 법화의 꽃으로는 밑을 닦는다네. 그래도 그루터기 정도는 되어야 하지 않겠는가. 아차차! 그걸 어디다 쓸려고? 소용없는 짓이네.

제15칙

운문 도일설
(雲門倒一說)

운문선사의
허튼소리

"눈을 번쩍 떠 보라
고해 속에 극락이 있으니…"

금강수보살(金剛手菩薩)의 활활 타는 불꽃이 무엇인지를 알면

곧 시원해지리라.

강설(講說)

선지식이 후학을 이끄는 방법은 크게 두 가지로 나눌 수 있다. 어떤 이는 자신이 이미 깨달았다고 착각하여 천방지축 설치며 풍파를 일으키는데, 이런 자는 그의 잘못된 언행 모든 것을 부정하며 궁지로 몰아넣어서 더 이상 내 보일 것이 없게 만들어야 한다. 다른 한편으로는 공(空)에 떨어져 매사에 부정적이면서 무기력해져 있는 사람이라면, 긍정적인 측면을 열어 적극적으로 나아가게 해주어야만 한다.

이 두 가지 방법은 옛날부터 선지식들이 사용했던 것이며, 오늘날에도 가장 중요한 지도법이라고 할 것이다. 예컨대 방향을 잘못 잡아 왼쪽으로 치우친 사람에게는 오른쪽으로 가라고 하고, 오른쪽으로 잘못 치우친 사람에게는 왼쪽으로 가라고 한다. 이것은 바른 길로 안내하는 것이지 왼쪽도 오른쪽도 목적이 아닌 것과 같다.

그러나 이것은 상대에 따라 적절하게 사용하지 않으면 오히려 부작용만 일으키기도 한다.

강설(講說)

현시식이 후학을 이끄는 방법은 크게 두 가지로 나눌 수 있다. 어떤 이는 자신이 이미 깨달았다고 착각하여 원명지혜를 설치며 공부를 멈추는데, 이럴 때는 그의 잘못된 인정 모든 것을 부정하여 공지로 돌아가게 하여서 더 이상 매달릴 것이 없게 만들어야 한다. 다른 한편으로는 공(空)에 떨어져 매사에 부정적이거나 무기력해져 있는 사람이라면, 긍정적인 측면을 일어 세워 적극적으로 나아가게 해주어야만 한다.

이 두 가지 방법은 옛날부터 선지식들이 사용했던 것이며, 오늘날에도 가장 중요한 지도법이라고 할 것이다. 예컨대 방향을 잘못 잡아 왼쪽으로 치우친 사람에게는 오른쪽으로 가라고 하고, 오른쪽으로 잘못 치우친 사람에게는 왼쪽으로 가라고 한다. 이것은 바른 길로 안내하는 것이지 왼쪽과 오른쪽도 목적이 아닌 것과 같다.

그러나 이것은 상대에 따라 적절하게 사용하지 않으면 오히려 부작용만 일으키기도 한다.

본칙(本則)

舉 僧이 問雲門호대 不是目前機며 亦非
거 승 문운문 불시목전기 역비

目前事是如何닛고 門이 云 倒一說이로다
목전사시여하 문 운 도일설

- **목전기(目前機)**
  '눈앞의 기틀' 즉 지도할 사람.
- **목전사(目前事)**
  '눈앞의 상황' 즉 지도할 상황.
- **도일설(倒一說)**
  뒤집힌 한마디, 뒤집힌 소리, 허튼소리.

이런 얘기가 있다. 어떤 스님이 운문선사께 여쭈었다.

"지도할 상대도 없고 또한 지도할 상황도 아니라면 어떻게 합니까?

운문선사가 답하였다.

"허튼소리!"

강설(講說)

누군가 마음먹고 운문선사를 시험하려 들었다. 앞에 지도할 상대도 없고 그럴 상황도 아니라면 도대체 어떻게 할 것인가? 아마도 최강의 질문이라고 할 수 있겠다. 그러나 약한 사람이라면 옭아맬 수 있었겠지만 상대는 천하의 운문선사였다. 이미 질문 속에는 돌이킬 수 없는 오류가 있었다. 그것을 놓칠 운문선사가 아니다. 운문선사는 대뜸 후려쳐 버렸다.

"허튼소리 하는구나!"

이 문답의 핵심이라고 할 수 있는 '도일설(倒一說)'을 번역할 때 대부분 '일설을 뒤집다'라는 뜻으로 이해한 모양이다. 그래서 '아무 말도 하지 않지'라고 번역한다. 그런데 이것은 질문을 한 당사자를 곧바로 대하는 선사들의 말투가 아니다. 한문을 뜻풀이하는 방식으로 해석한 것이다. 선사들은 상대의 급소를 바로 공격해 버린다. 그러므로 '도일설'을 글자대로 풀이하면 '뒤집힌 한마디' '뒤집힌 소리'가 되고, 선사들의 대화체로 바꾸면 '허튼소리'라고 번역해야 한다.

질문자는 어설픈 솜씨로 운문선사에게 칼을 들이대었다. 하지만 상대는 천하의 고수였다. 목검으로 대련을 한다면 상처나 입고 말겠지만, 진검으로 겨룬다면 자기가 휘두른 칼로 인해 자신의 목이 달아나는 법이다.

운문선사에게 질문을 한 스님은 대체 무슨 잘못을 범한 것일까?

송(頌)

倒一說은 分一節이니
도 일 설 분 일 절

同死同生爲君訣이라
동 사 동 생 위 군 결

八萬四千非鳳毛요
팔 만 사 천 비 봉 모

三十三人入虎穴이라
삼 십 삼 인 입 호 혈

別別이로다
별 별

擾擾忽忽水裏月이여
요 요 총 총 수 리 월

- **분일절(分一節)**
  한 덩이를 쪼갬. 즉 완전한 것의 반쪽.
- **비봉모(非鳳毛)**
  봉황의 깃털이 아님. 즉 봉황과 하나인 상태가 아님.
- **입호혈(入虎穴)**
  호랑이 굴에 듦. 호랑이를 만남.

허튼소리여! 한 덩이를 쪼갬이니,
같이 죽고 같이 살아 그대 위해 결단함이라.
팔만 사천 청중은 봉황의 깃털 아니요,
삼십삼 조사는 호랑이 굴에 들었도다.
훌륭하고도 훌륭하도다.
어지러이 내닫는 물속의 달이여!

- **요요총총(擾擾悤悤)**

  물이 출렁거리며 급히 흐르는 모양. 즉 어지럽게 돌아가는 현상 세계.

송(頌)

허튼소리여! 한 덩이를 쪼갬이니,

강설(講說)

생각으로 따지고 드는 질문자에게 운문선사는 "허튼소리"라고 일갈하였지만, 사실 이것이야말로 가장 자상하게 이끌어 준 것이다. 아니, 이보다 더 자상한 방법이 또 있겠는가. 이 한마디 말에 눈이 번쩍 떠진다면 곧바로 핵심을 보게 하는 것이다. 만약 운문선사께서 질문에 대해 상대가 하나씩 이해할 수 있도록 자세하게 설명하였다면, 질문자의 그 어리석음을 어느 세월에 타파하겠는가. 그런데 허튼소리라는 답을 듣고 이 친구의 어리석음이 부서지기는 하였을까?

송(頌)

같이 죽고 같이 살아 그대 위해 결단함이라.

강설(講說)

선지식은 자신만을 위해 몸을 사리지 않는다. 욕을

먹는 한이 있어도, 후학에게 도움이 되려고 한다. 모름지기 자타일여(自他一如)의 경지에서 오직 상대로 하여금 모든 망상과 분별을 떠날 수 있도록 생사를 함께해 주는 것이다.

송(頌)

팔만 사천 청중은 봉황의 깃털 아니요,
삼십삼 조사는 호랑이 굴에 들었도다.

강설(講說)

팔만 사천 사람들이 부처님의 설법을 들었다고 그들이 모두 부처의 경지가 되는 것은 아니다. 설법한 말씀은 동일할지라도 듣는 사람의 경지에 따라 부처님의 말씀은 천차만별로 다르게 받아들여지는 것이다. 그러므로 부처님의 뛰어난 제자들이 다 모였던 영취산 법석에서 오직 가섭존자만 부처님께서 꽃을 드신 뜻을 알고는 빙그레 웃었고, 나머지 대중은 그저 귀머거리가 되고 벙어리가 되었던 것이다.

삼십삼 조사들은 큰 용기로 목숨을 걸었던 분들이다.

마치 호랑이굴로 들어가 호랑이를 때려잡은 것과 같은 체험들을 하고는, 이윽고 깨달아 자유자재한 경지에 이른 분들이다. 그러니 그런 선지식을 만나려면 자신도 목숨을 걸고 덤벼야만 한다. 어설픈 말장난으로는 결코 진면목을 친견할 수 없다.

송(頌)

훌륭하고도 훌륭하도다.
어지러이 내닫는 물속의 달이여!

강설(講說)

눈을 번쩍 떠 보라. 눈앞에 전개되는 멋들어지고 훌륭한 모습을 스스로 볼 수 있으리라. 고해라고 하는 그 속에 극락이 있으며, 허무한 그림자 속에 허무하지 않음이 있다. 어지러운 물결 따라 흐르지 말라. 흐름을 넘어선 거기 묘미가 있나니.

참! 물이 내닫는가? 달이 내닫는가? 아니면 다른 무엇이 내닫는가?

제16칙

경청 줄탁 (鏡淸啐啄)

경청선사의 껍질 깨기

"선사는 곧바로 껍질을 쪼아줬지만 여전히 알 속에…"

굳어지면 없던 벽도 생긴다.
물이 얼어붙어 빙벽이 생겼다.

경청 도부(鏡淸道怤, 864~937) 선사는 설봉(雪峰) 선사의 법제자로 운문, 장경 보복선사와 사형제가 된다. 벽암록에는 세 번 등장하며, 절강성 월주(越州)의 경청사(鏡淸寺)에 주석하셨기에 법호가 되었다.

강설(講說)

깨달음의 길에 요령이 통할 리 없고, 대신할 그 무엇도 없다. 그래서 달마대사는 양무제가 자신이 불사를 한 것에 대한 공덕을 묻자 "아무런 공덕도 없다"고 하신 것이다. 양무제가 달마대사를 만났으나 떠난 뒤에야 후회했듯이, 어리석은 사람들은 깨달음에 이른 이가 눈앞에 있어도 안개에 가려진 천길 바위산을 보듯 제대로 파악하기 어렵다. 그래서 눈앞에 두고도 알아보기 어렵고, 접근하기는 더더욱 어렵다.

진리를 눈으로 보고 귀로 들을 수 있다면 얼마나 좋겠는가마는, 사람들의 생각이나 언어는 진리로부터는 아득할 뿐이다. 누군가 세상의 빛나는 언어와 심오한 듯한 사상에 속지 않는 힘이 있다면, 그는 부처님과 조사님들이 범부들을 괴로움으로부터 보호하기 위해 부

들이 설치한 갖가지 안전장치를 다 제거해 버리고 깨달음에 이른다. 깨달은 이는 더 이상 천상의 즐거움 따위에도 연연치 않으며, 세상의 이런저런 것들을 기웃거리지 않는다. 그러므로 하루 종일 행하고 말하여도 해탈한 사람의 마음은 빈 허공 같을 뿐이다. 이미 능수능란하게 지혜의 보검을 쓸 수 있기에, 껍질을 깰 준비가 된 사람을 위해서 언제든지 무명의 껍질을 깨뜨릴 수 있다.

정말 해탈한 이라면 혼자 고요적적하기만 해서는 안 된다. 마땅히 힘써 타인을 해탈로 인도해야 하는 것이다. 그때 끝없이 추락하는 사람이라면 무한한 능력이 있다는 것을 일깨워 주어야 하고, 아만이 하늘을 치받는 사람이라면 몽땅 빼앗을 수도 있어야 하는 것이다. 그 정도라면 제법 쓸 만한 정도라고 할 수 있을 것이다.

그런데 이런 행위가 깨달음이라는 입장에서 보자면 아무 상관도 없는 일이다. 그러니 스스로 무한한 도움을 받은 것을 알기는 할까? 오직 스스로 깨달아야만 알 것이다.

본칙(本則)

擧 僧이 問鏡淸호대 學人이 啐하리니 請師
거 승 문경청 학인 줄 청사

啄하소서 淸이 云 還得活也無아 僧이 云 若
탁 청 운 환득활야무 승 운 약

不活인댄 遭人怪笑하리다 淸이 云 也是草
불활 조인괴소 청 운 야시초

裏漢이로다
리한

- **환득활야무(還得活也無)**

  이때의 환(還)은 "그렇게 해서"의 뜻.

- **괴소(怪笑)**

  의심과 비웃음.

- **초리한(草裏漢)**

  당송 시대의 속어로 '멍청한 놈' '촌놈'의 뜻.

이런 얘기가 있다. 어떤 스님이 경청선사께 요청하였다.

"제가 껍질을 깨고 나가려 합니다. 스님께서 깰 수 있도록 도와주십시오."

경청선사가 말씀하셨다.

"그래서야 살 수가 있겠느냐?"

요청한 스님이 말하였다.

"만약 (제가) 살지 못한다면 (스님께서) 사람들의 의심과 비웃음을 받겠지요."

경청선사가 말씀하셨다.

"이런 멍청한 놈!"

강설(講說)

요청한 스님은 경청선사의 줄탁(啐啄)의 가풍을 알고는 그것으로 선사에게 들이대었다. "저는 이미 깨달을 준비가 되어 있습니다. 스님께서 도와주십시오." 그런데 이 친구 과대망상증이 있구나. 경청선사의 솜씨는 너무나 빨라서 숨 돌릴 겨를을 주지 않는다. "그러면 살아남을 수나 있으려나?" 경청선사께서 곧바로 껍질을 쪼아 주었으나 이 친구 여전히 알 속에 있구나. 자신이 깨닫지 못한다면 경청선사의 잘못이라서 세상 사람들의 비웃음을 사게 될 것이라니, 웬 헛소리냐! 경청선사께서 번개처럼 휘둘러 버렸다. "이런 멍청한 놈!"

송(頌)

古佛有家風이어늘
고 불 유 가 풍

對揚遭貶剝이로다
대 양 조 폄 박

子母不相知라
자 모 불 상 지

是誰同啐啄이리요
시 수 동 줄 탁

啄覺이나 猶在殼하니
탁 각 유 재 각

重遭撲이라
중 조 박

天下衲僧徒名邈로다
천 하 납 승 도 명 모

- **고불유가풍(古佛有家風)**

  ‘옛 부처님에게는 가풍이 있었다’는 이 말은 깨달은 분들에게 독특한 세계가 있다는 말이며, 경청선사 또한 그 경지라는 뜻임.

- **대양(對揚)**

  대답, 즉답. 맞서다.

- **조폄박(遭貶剝)**

  ‘깎이고 벗겨짐을 당함’ 즉 ‘아주 혼이 났음’

- **자모(子母)**

  병아리와 어미닭. 제자와 스승.

- **탁각(啄覺)**

  쪼고 일깨움. 경청스님의 대응을 가리킴.

- **도명모(徒名邈)**

  부질없이 표현하고 더듬다. 막(邈)자는 중국에서 모(摸)와 혼용했음. ‘멀다’의 뜻일 때는 ‘막’으로 발음하지만, ‘더듬다’의 뜻일 경우는 ‘모’로 발음함.

옛 부처님에게는 독특한 세계가 있거늘
함부로 맞섰다가 아주 혼이 나는구나.
제자와 스승이 서로 알지 못하는데,
여기 누가 안팎에서 함께 쫄까나.
쪼고 깨우쳤으나 그대로 껍질 안에 있나니,
거듭 얻어맞음 당했구나.
세상 수행자들 부질없이 표현하며 더듬는구나.

송(頌)

옛 부처님에게는 독특한 세계가 있거늘
함부로 맞섰다가 아주 혼이 나는구나.

강설(講說)

부처님께서는 당신께서 타인에게 깨달음을 나눠준다는 말씀을 하신 일이 없다. 선사들도 깨달음을 주겠다는 말씀을 하지 않는다. 아직 준비도 안 된 스님이 우쭐거리며 경청선사에게 덤볐다가 단단히 혼이 나고 말았다.

송(頌)

제자와 스승이 서로 알지 못하는데,
여기 누가 안팎에서 함께 쫄까나.

강설(講說)

껍질을 안팎에서 깨려면 안과 밖이 서로 하나의 경지가 되어 동시에 쪼는 법이다. 가령 어미가 밖에서 쪼아주지 않더라도 껍질을 깨고 나온다. 경청선사께서 힘

껏 쪼아 주셨으나 정작 요청한 친구는 알지도 못했다.

송(頌)

쪼고 깨우쳤으나 그대로 껍질 안에 있나니,

거듭 얻어맞음 당했구나.

세상 수행자들 부질없이 표현하며 더듬는구나.

강설(講說)

경청선사께서 쪼아주고 깨우쳐 주었으나, 상대는 여전히 제 껍질 속에 있는 것을 어쩌누. 그러니 '멍청한 놈'이라는 몽둥이나 맞아야지. 이런 어설픈 노릇 하는 작자가 어디 이 친구뿐이겠는가. 말로는 공부한다고 떠들면서 기껏 옛 어른들의 언행이나 흉내 내느라 정신없이 헤매고 있지.

제17칙

향림 서래의
(香林西來意)

향림선사의
서쪽에서 오신 뜻

절박한 수행자의 의심에,
"오래 앉았더니 피곤하구만!"

어둠 속에서 밝음을 보려 하면 아무 것도 보이지 않듯,
어리석은 상태에서는 지혜를 짐작하기도 어렵다.

향림 징원(香林澄遠, 908~987) 선사는 운문(雲門) 선사의 법제자로 사천성(四川省) 성도(成都) 향림사(香林寺)에 40년간 주석하셨다.

여러 기록을 보면 자질이 뛰어나진 않았으나 대단히 성실한 분이었던 것 같다. 스승 운문선사를 18년간 모셨는데, 다음의 대화를 18년 동안이나 계속하였다고 한다.

운문 "원시자(遠侍者)!"

징원 "예."

운문 "그게 무엇이냐?"

스승이나 제자나 어지간하다고 하겠다.

징원스님은 늘 종이옷을 입고 다니면서 스승의 말씀을 기록했는데, 그것이 모여 〈운문광록(雲門廣錄)〉이 되었다. 깨달음을 이룬 뒤 향림사에 주석하며 후학을 지도하기 40년, 80세에 입적하셨다. 아래의 문답은 향림사에서 있었던 일이다.

강설(講說)

아무리 어려운 질문이라도 답할 수 있어야 비로소 자기의 본래모습을 깨달은 선지식이라고 할 수 있다. 깨달은 이에게 문제 될 것은 아무 것도 없기 때문이다. 만약에 상대가 날카로운 질문을 할 때 그저 피하기만 한다면 어찌 뛰어난 지도자라고 할 수 있겠는가. 상대를 파악하고 지도할 능력이 없다면 헛된 이름만 얻었을 뿐이다.

논쟁의 여지가 없는 자리는 우선 그렇다 치더라도, 하늘을 뒤덮을 기세로 덤빌 때는 어떻게 하겠는가? 선지식이라면 이런 놈을 만났을 때 본때를 보이는 법이다.

본칙(本則)

擧 僧이 問香林호대 如何是祖師西來意
거 승 문향림 여하시조사서래의

닛고 林이 云 坐久成勞니라
림 운 좌구성로

- **여하시조사서래의(如何是祖師西來意)**

  선수행하는 이들이 가장 많이 의심하는 공안 중의 하나이며, 선문답에도 가장 많이 등장하는 질문임. '무엇이 달마조사께서 천축으로부터 중국에 오신 뜻인가?'하는 의문 또는 질문.

  *조사(祖師)는 각 종파에서 그 맥을 이은 분이라는 뜻이나, 여기서는 달마선사를 가리킴.

  *서래의(西來意) : 서쪽에서 오신 뜻. 즉 인도로부터 중국으로 건너오신 뜻.

- **좌구성로(坐久成勞)**

  중국 사람들이 오래 앉아 있어 다리도 저리고 허리도 아프다고 할 때 주로 쓰는 말. 즉 오래 앉아 있어 피곤하다는 말.

이런 얘기가 있다.

어떤 스님이 향림선사께 여쭈었다.

"조사께서 서쪽에서 오신 뜻이 무엇입니까?"

향림선사께서 말씀하셨다.

"오래 앉았더니 피곤하구나."

강설(講說)

질문을 던진 스님은 이미 달마대사에 대한 역사적인 사실은 다 알고 있다. 그러니 달마대사의 이력 따위나 또는 통상적인 설명을 듣고자 하는 것이 아니다.

'이미 불교가 널리 전파된 마당에 왜 달마대사께서 중국에 오시어 소림사 뒷산 동굴에서 9년이나 벽만 보며 앉아 있었는가?'

수행자는 사실적 설명을 요구하지 않는다. 자신이 부딪친 벽을 말하고 있는 것이다. 어쩌면 이 질문자는 미치기 직전인지도 모른다. 수행자의 의심은 절박한 것이다. 그런 절박한 심정으로 향림선사의 답을 기다려야만 한다.

향림선사는 위대한 스승 운문선사 밑에서 18년이나 참구하여 깨달았던 분이다. 그래서일까? 향림선사의 답은 언어의 꾸밈을 벗어나 있다. 너무 담박하여 복잡하게 생각하는 사람의 접근을 막아버렸다.

"오래 앉아 있었더니 참 피곤하구만!"

너무 자상한 것인가, 아니면 너무 박절한 것인가.

아하, 오래 앉았다고 하니 또 달마대사의 9년 면벽을 떠올리시나? 이미 삼천포로 빠졌다.

송(頌)

一箇兩箇千萬箇여
일 개 양 개 천 만 개

脫却籠頭卸角馱로다
탈 각 롱 두 사 각 태

左轉右轉隨後來하니
좌 전 우 전 수 후 래

紫胡要打劉鐵磨로다
자 호 요 타 유 철 마

- **일개양개천만개(一箇兩箇千萬箇)**

  여기 사용된 개(箇)자는 흔히 물건을 헤아릴 때 사용되며, 한 개 두 개 등의 뜻임. 사람일 경우에도 인(人)자를 생략한 채로 사용됨. 여기에서는 '한 사람 두 사람 천만 사람'이라는 뜻.

- **농두(籠頭)**

  짐승의 입에 씌워 음식을 먹지 못하게 하는 굴레.

- **각타(角馱)**

  타(馱)자는 駄자와 같은 자이며 발음도 '타'와 '태'로 쓰임. '각타'는 짐승의 등에 양쪽으로 나눠 실은 짐.

- **좌전우전(左轉右轉)**

  '좌로 돌고 우로 돌다'의 뜻이지만 뒤의 구절과 연관해서 사용한 말임.

- **자호요타유철마(紫胡要打劉鐵磨)**

자호화상이 유철마를 칠 수밖에 없지. 이 얘기는 자호선사와 유철마 비구니의 일화에서 가져 온 것임. 원오선사는 평창에서 자호선사가 유철마를 찾아갔다고 하고 있으나, 〈전등록〉에는 유철마가 자호선사를 찾아뵌 것으로 되어 있음.

*자호(紫胡) – 자호 이종(紫胡利蹤:800~880)선사.

자호(子胡)선사 또는 신력(神力)선사라고도 함. 〈전등록〉 권10에 다음 기록이 있음.

어릴 때 유주(幽州)의 개원사(開元寺)에 출가하여 나이가 차자 구족계를 받았다. 후에 남전 보원(南泉普願)선사의 법제자가 된 후 바로 구주(衢州)의 마제산(馬蹄山)에 가 띠집을 짓고 살았다. 이후 옹천귀(翁遷貴)라는 이가 자호산을 기증하여 절을 짓게 하니 안국원(安國院)이다. 선사는 이곳에서 오래 후학을 지도했다.

어느 날 유철마라는 별명을 지닌 비구니가 와서 인사를 여쭈자 선사가 물었다.

"그대는 유철마가 아닌가?"

"외람되오나 그렇습니다."

"왼쪽으로 도는 맷돌인가, 오른쪽으로 도는 맷돌인가?"

"화상께서는 뒤집힌(顚倒) 말씀하지 마십시오."

대사가 바로 후려쳤다.

한 사람 두 사람 천만의 사람이여,
굴레를 풀어 버리고 등짐을 벗었구나.
좌로 돌고 우로 돈다는 그 말을 따르니,
자호선사가 유철마를 칠 수밖에 없지.

*유철마(劉鐵磨) – 생몰 연대 미상.
당대(唐代)의 비구니 스님. 속성은 유(劉)씨. 워낙 거칠고 상대하기 힘들어 '쇠맷돌(鐵磨)'이라는 별명으로 불림. 담주의 위산(潙山)에 암자를 짓고 살면서 그 산의 어른이셨던 위산 영우(潙山靈祐; 771~853) 선사에게 지도를 받고 깨달았다고 함.

송(頌)

한 사람 두 사람 천만의 사람이여,
굴레를 풀어 버리고 등짐을 벗었구나.

강설(講說)

달마스님께서 오신 뜻을 두고 그 얼마나 많은 사람들이 굴레에 갇히고 등짐을 진 것처럼 부질없는 짐을 지고 있었을까? 설두스님은 향림선사의 말 한마디로 그 모든 굴레와 등짐을 벗을 수 있는 기회가 제공되었다고 칭찬했다. 이처럼 극찬을 아끼지 않다니…. 하지만 스스로 굴레와 짐을 자청한 것이니 어찌 향림선사가 굴레를 벗겨주고 등짐을 내려주겠는가. 착각들 하지 말라!

송(頌)

좌로 돌고 우로 돈다는 그 말을 따르니,

자호선사가 유철마를 칠 수밖에 없지.

강설(講說)

마치 거칠 것 없는 것처럼 다 갈아버리던 유철마가 자호선사의 말에 끌려가는 어리석음을 범하듯이 또 얼마나 많은 사람들이 그 뒤를 따를까? 그래서 설두스님은 이 얘기를 가져와 경고를 하고 있는 것이다. 자호선사의 몽둥이를 맞지 않으려면 정신 차려라. 무엇이 달마스님이 오신 뜻이냐? 아차차! '오래 앉았더니 피곤하다'고 되뇌지 말라. 향림선사의 몽둥이가 날아들기 직전이구나.

제18칙

충국사 무봉탑
(忠國師無縫塔)

혜충국사의
이음매 없는 탑

"아! 천지에 가득한 그 보물을
쓸 자가 누구일까"

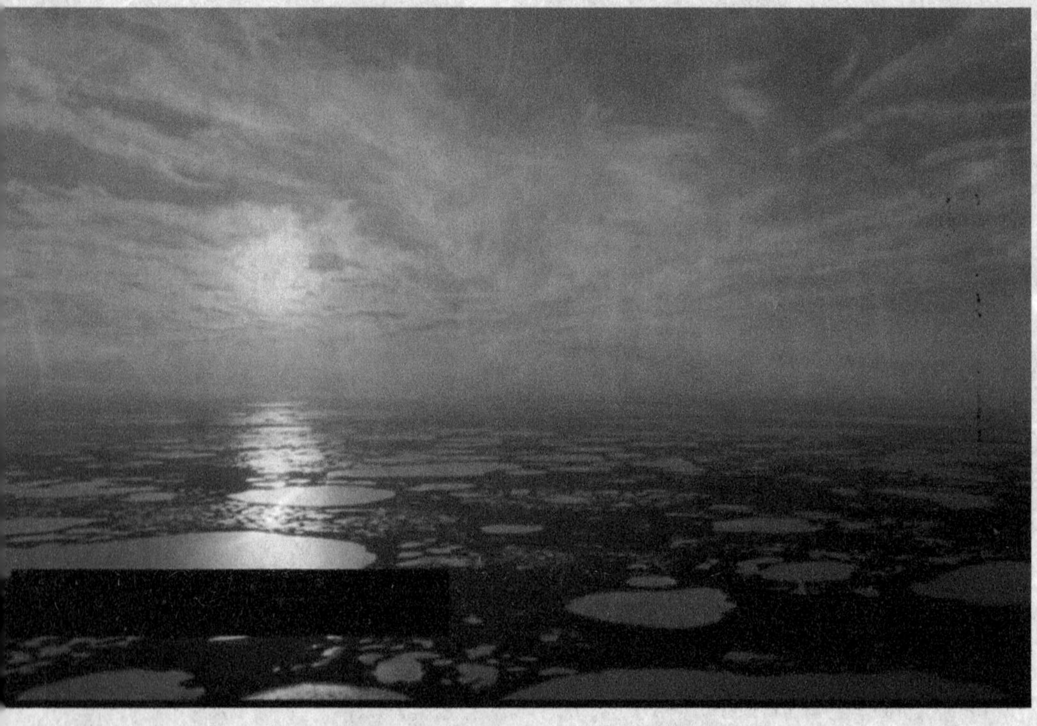

여기서 이음매 없는 탑을 볼 수 있으려나.
사진을 분석하지는 말 것.

혜충국사(?~775)는 육조대사의 법제자로 남양(南陽)의 백애산(白崖山)에 40년간 두문불출하셨기에 흔히 남양 혜충국사로 존칭된다. 명성이 드높아 당(唐) 제7대 숙종(肅宗), 제8대 대종(代宗) 2대 황제의 국사로 존경받았다. 입적하실 때의 연세가 130세 정도였다고 하나 확실하지는 않다. 탐원스님은 혜충국사의 법제자인 응진(應眞)선사로 탐원산(耽源山)에 주석하였기에 '탐원'이 호가 되었다.

본칙(本則)

擧 肅宗皇帝가 問忠國師호대 百年後所
거 숙종황제 문충국사 백년후소

須何物이닛고 國師云호대 與老僧作箇無
수하물 국사운 여노승작개무

縫塔하소서 帝曰 請師塔樣하소서 國師良
봉탑 제왈 청사탑양 국사양

久云호대 會麽아 帝云호대 不會니다 國師
구운 회마 제운 불회 국사

云호대 吾有付法弟子耽源하야 卻諳此事
운 오유부법제자탐원 각암차사

하니 請詔問之하소서
청조문지

國師遷化後에 帝詔耽源問此意如何오
국사천화후 제조탐원문차의여하

하니 源云호대
원운

湘之南潭之北에
상지남담지북

〈雪竇着語云 獨掌不浪鳴이라〉
설두착어운 독장불랑명

中有黃金充一國이라
중 유 황 금 충 일 국

〈雪竇着語云 山形拄杖子니라〉
설 두 착 어 운 산 형 주 장 자

無影樹下合同船이니
무 영 수 하 합 동 선

〈雪竇着語云 海晏河淸이로다〉
설 두 착 어 운 해 안 하 청

瑠璃殿上無知識이로다
유 리 전 상 무 지 식

〈雪竇着語云 拈了也라〉
설 두 착 어 운 염 료 야

- **숙종(肅宗)**

  당(唐) 756~762년간의 임금. 실제로는 다음의 대종(代宗, 763~779) 임금이라야 맞음.

- **백년후(百年後)**

  이 경우는 '백년 후'라는 뜻이 아니라 '입적하신 후'의 뜻.

- **무봉탑(無縫塔)**

  '꿰맨 자국(이음매, 흠)이 없는 탑'이란 상징적 표현이며, 실제로 있는 탑은 아님.

- **양구(良久)**

  법문 또는 답변의 한 가지 방법으로 한참을 침묵하는 것.

- **부법제자(付法弟子)**

  ‘법을 준 제자, 법을 부탁한 제자’의 뜻이나 ‘법’이라는 객관적인 무엇을 주었다는 뜻이 아니라, 부처님의 가르침을 펼칠 책임을 맡겨도 좋겠다고 인정한 제자라는 뜻.

- **천화(遷化)**

  이 세상의 교화를 끝내고 다른 세상의 교화를 위해 옮겨 갔다는 뜻으로 고승의 입적을 일컫는 말.

- **상지남담지북(湘之南潭之北)**

  상강(중국 호남성에 있는 강)의 남쪽, 담수(중국 호남성에 있는 강)의 북쪽. 특정한 어떤 장소를 지칭한 것이 아님.

- **착어(着語)**

  공안, 화두에 붙이는 짧은 평.

- **주장자(拄杖子)**

  본디 노약한 스님들의 지팡이 또는 험한 산에서 수행하던 스님들의 지팡이였던 것. 후학을 지도할 때 이 지팡이를 많이 활용하게 되면서부터 큰스님들의 상징적 도구가 됨.

- **무영수(無影樹)**

  그림자 없는 나무. 청정한 본성 또는 깨달음의 세계를 상징적으로 표현한 것.

- **유리전(瑠璃殿)**

  ‘유리의 전각’이라는 이 말을 두고 구구한 해석들이 많음. 그러나 복잡하게 생각할 것 없이 ‘무영수(無影樹)’라는 앞 구절의 말을 받아서 ‘투명한 전각’으로 풀이하는 것이 가장 적합함.

숙종황제가 혜충국사에게 물었다.

"입적하신 후에 어떤 물건이 필요하십니까?"

국사가 답하였다.

"나에게 이음매 없는 탑을 하나 만들어 주십시오."

황제가 말했다. "국사께서 탑 모양을 말씀해 주십시오."

국사가 한동안 침묵한 후에 물었다. "아시겠습니까?"

황제가 답하였다. "모르겠습니다."

국사가 말했다.

"나에게 법제자 탐원이 있는데, 이 일을 잘 알 것이니 불러서 이것을 물어보십시오."

혜충국사께서 입적하신 후 황제가 탐원스님을 초청하여 이 뜻이 무엇인지를 물었더니, 탐원스님이 답하였다.

"상강의 남쪽 담수의 북쪽에,

(설두스님이 촌평하셨다. "한 손바닥으로는 소리가 울리지 않는다.")

그 가운데 황금이 가득한 한 나라가 있다네.

(설두스님이 촌평하셨다. "산 같은 주장자로구나.")

"그림자 없는 나무 아래 같은 배를 탔으니,

(설두스님이 촌평하셨다. "바다는 잠잠하고 강은 맑도다.")

유리 전각에서는 앎도 인식도 없다네."

(설두스님이 촌평하셨다. "다 말해 버렸다.")

본칙(本則)

숙종황제가 혜충국사에게 물었다.

"입적하신 후에 어떤 물건이 필요하십니까?"

강설(講說)

지금도 필요한 물건이 따로 없는데 죽은 뒤에 무슨 물건을 필요로 하겠는가? 황제의 존경심 정도로 봐 주자.

본칙(本則)

국사가 답하였다.

"나에게 이음매 없는 탑을 하나 만들어 주십시오."

강설(講說)

과연 혜충국사이시다. 신심과 존경심에 귀한 답을 해 주셨다. 이음매가 없는 탑은 어떤 모양일까? 탑 형상을 연구하느라 또 많은 사람의 눈썹이 빠지겠구먼!

본칙(本則)

황제가 말했다. "국사께서 탑 모양을 말씀해 주십시오."

국사가 한동안 침묵한 후에 물었다. "아시겠습니까?"

황제가 답하였다. "모르겠습니다."

강설(講說)

내 그럴 줄 알았다. 첫 단추가 어긋났는데, 두 번째 단추가 맞을 리 있겠는가. 혜충국사께서 그림 없는 설계도를 건넸으니, 황제가 어찌 알리요. 부처님께는 가섭존자가 있었고, 유마거사에게는 문수보살이 있어 환하게 드러내 보였다. 하지만 황제의 그릇은 전혀 미치지 못하고 있는 것이다.

본칙(本則)

국사가 말했다.

"나에게 법제자 탐원이 있는데, 이 일을 잘 알 것이니 불러서 이것을 물어 보십시오."

강설(講說)

혜충국사는 기다림의 명수이시다. 백애산에 한번 들자 40년을 두문불출하신 분 아닌가. 황제가 두 번의 가르침에도 미처 깨닫지 못하자 다시 한번 기회를 주고 싶었던 모양이다.

본칙(本則)

혜충국사께서 입적하신 후 황제가 탐원스님을 초청하여 이 뜻이 무엇인지를 물었더니, 탐원스님이 답하였다.

"상강의 남쪽 담수의 북쪽에,

(설두스님이 촌평하셨다. "한 손바닥으로는 소리가 울리지 않는다.")

그 가운데 황금이 가득한 한 나라가 있다네.

(설두스님이 촌평하셨다. "산 같은 주장자로구나.")

강설(講說)

탐원스님은 혜충국사의 제자답게 멋진 답을 하고 있다. 무봉탑을 만들어 달라는 스승의 의도가 어디에 있는지를 잘 드러내 보였다. 하지만 황제에겐 너무나 어려운 일인지라 손을 마주치지도 못하고, 주장자를 건네주어도 휘두를 수가 없구나. 아, 천지에 가득한 그 보물을 쓸 자가 누구일까.

본칙(本則)

"그림자 없는 나무 아래 같은 배를 탔으니,

(설두스님이 촌평하셨다. "바다는 잠잠하고 강은 맑도다.")

유리 전각에서는 앎도 인식도 없다네."

(설두스님이 촌평하셨다. "다 말해 버렸다.")

강설(講說)

이제 흠 하나 없는 멋진 탑의 실체를 완전히 드러내었다. 탐원스님은 '툭 트여 성스러울 것도 없다'던 달마조사의 경계를 다시 한번 보이고 있는 것이다. 부처를 만난 사람은 대장경을 뒤적이며 보물을 찾지 않고, 달마를 만난 사람이라면 오래 앉음을 탐하지 않는다. 그림자 없는 나무나 투명한 유리전각을 보는 자 몇이나 될는지.

송(頌)

無縫塔 見還難이라
무 봉 탑 견 환 난

澄潭不許蒼龍蟠이로다
징 담 불 허 창 룡 반

層落落 影團團이여
층 낙 낙 영 단 단

千古萬古與人看이로다
천 고 만 고 여 인 간

- **징담(澄潭)**

  맑은 못. 청정한 본성의 세계. 혜충국사가 침묵으로 보인 경지.

- **창룡(蒼龍)**

  푸른 용. 인간의 욕망.

- **낙락(落落)**

  우뚝한 모습.

- **영단단(影團團)**

  영(影)은 자태를 뜻하고, 단단(團團)은 원만함을 뜻함.

이음매 없는 탑이여!

보려니 도리어 어렵구나.

맑은 못은 푸른 용의 웅크림을 허락하지 않도다.

층층이 우뚝 솟아 그 자태 원만함이여!

영원하고 영원토록 사람들에게 보여주도다.

송(頌)

이음매 없는 탑이여!

보려니 도리어 어렵구나.

강설(講說)

눈앞에 형상으로 보이는 탑이면 어찌 이음매가 없겠는가. 그런 탑이라면 천하의 혜충국사가 황제에게 얘길 했겠는가. 그러니 설계도를 보자고 조르지도 말고, 사진으로 보여 달라고도 하지 말라. 차라리 조용히 눈을 감고 마음의 분별을 쉰다면 조금은 가능성이 있으려나. 견성성불(見性成佛)이라고 하니 눈에 핏발을 세우고 두리번거리며 성품을 찾는 친구로구나.

송(頌)

맑은 못은 푸른 용의 웅크림을 허락하지 않도다.

강설(講說)

훤히 들여다보이는 못에 어찌 용이 몸을 숨길 수 있겠는가. 괜스레 혜충국사에게 필요한 것이 뭐냐고 묻는구나. 부처님께 열반 후의 일을 물었더니, 그건 재가의 신도들에게나 맡겨 두라고 하셨지. 부처님께서는 아무 것도 필요한 것이 없었으나, 재가불자들의 마음에는 필요한 것이 있었을 테니까.

송(頌)

층층이 우뚝 솟아 그 자태 원만함이여!

강설(講說)

세상에 무봉탑보다 우뚝하고 멋진 것이 있을까? 그보다 완전한 것이 또 있을까? 팔만사천법문으로도 그 모습 제대로 그려내지 못했고, 부처님도 조사님들도 최후엔 입을 닫고 말았지.

송(頌)

영원하고 영원토록 사람들에게 보여주도다.

강설(講說)

모든 선지식이 손가락으로 그 탑을 가리키고 있지만, 사람들은 그저 손가락을 보고 있구나. 어쩌겠는가, 밤낮으로 만지면서도 알지 못하는 것을. 하지만 번쩍 눈을 뜨기만 한다면, 언제라도 그 멋진 모습 볼 수 있으리.

제19칙

구지 일지 (俱胝一指)

구지선사의
한 손가락

"선사는 캄캄한 밤 거친 바다에
널빤지를 던졌다"

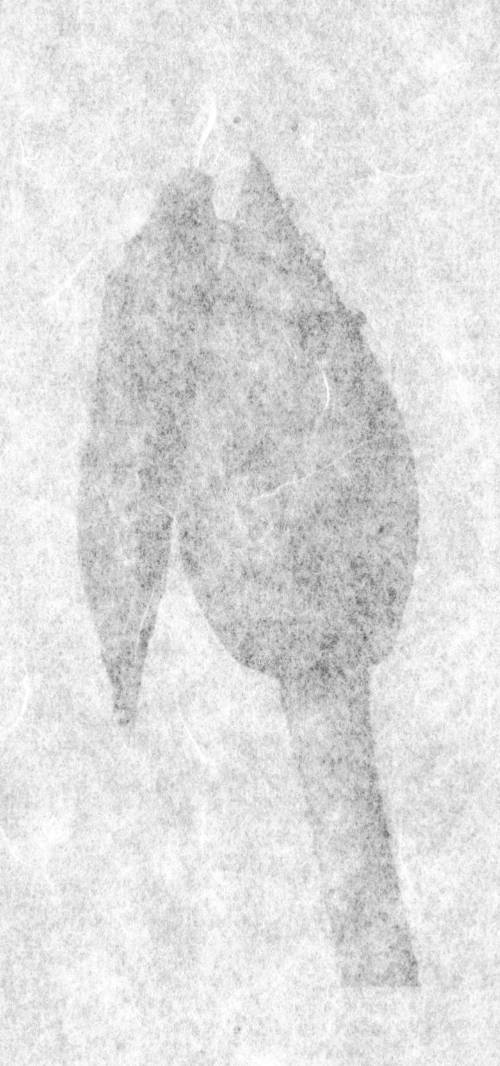

주인공은 어디에 있는가?
헤아린다고 알 수 있는 것이 아니다.

구지선사는 생몰연대가 정확하지 않다. 마조선사의 문하 대매 법상(大梅法常, 552~839)선사의 법제자인 항주 천룡(杭州天龍)선사의 법제자이다.

구지화상은 절강성(浙江省) 금화산(金華山)에 머물고 있었다. 어느 날 마조대사의 제자인 실제(實際)라는 비구니가 찾아왔다. 삿갓도 벗지 않고 방안에 들어와 구지화상이 좌선하는 자리를 세 바퀴 돌고 나서 말했다.

"한 마디 하시면 삿갓을 벗겠습니다."

이렇게 세 번을 말했는데도 구지화상은 말을 하지 못했다. 그러자 비구니는 떠나려 하였고, 구지화상은 머물기를 청하였다.

"곧 날도 저물 것이니, 하룻밤 쉬어 가시지요."

"한마디 하시면 머물지요."

구지화상이 아무 말도 못하자 비구니는 떠나 버렸다. 비구니에게 당한 구지화상은 자신의 모습에 참담함을 느꼈다.

"이러고도 내가 대장부라고 할 수 있겠는가!"

구지화상은 고승들을 만나 가르침을 받고자 바랑을 꾸린 뒤 잠자리에 들었다. 그런데 꿈속에서 산신이 나

타나 말했다.

"곧 대보살이 나타나 스님에게 가르침을 줄 것이니, 이 암자를 떠나지 마시오."

다음 날 과연 한 노승이 찾아왔는데, 바로 천룡(天龍)선사였다. 구지화상은 정중히 예를 갖춘 후에 전날 있었던 일을 설명하였다. 그리고는 간절한 마음으로 여쭈었다.

"무엇이 한마디입니까?"

그러자 천룡선사는 손가락 하나를 세워 보였다. 그 순간 구지화상은 큰 깨달음에 이르렀다. 그 다음부터 구지화상은 어떤 질문을 받더라도 오직 손가락 하나만을 세워보였다.

강설(講說)

일어난 현상을 통하여 이치를 깨닫는 것이 쉬운 것은 아니지만, 그래도 열심히 공부한 사람이라면 어려운 일도 아니다. 그러나 현상이 일어나기 이전의 소식을 깨닫지 않으면 늘 바쁠 수밖에 없을 것이다. 그러니 번뇌의 가지를 자르느라고 바쁠 것이 아니라 번뇌의 뿌리를 확 뽑아 버려야 한다. 그러면 다시는 가지치기를 할 필요가 없어진다. 그 경지에 이르면 눈을 가리는 것들이 사라져 버렸으므로 언제나 주인공이 본래모습 그대로 드러날 것이다. 이런 사람은 언제 어느 때라도 가장 조화로운 모습으로 세상과 통할 것이다.

본칙(本則)

擧 俱脂和尙이 凡有所問하면
거 구지화상 범유소문

只竪一指라
지수일지

이런 얘기가 있다.

구지화상은 무릇 어떤 질문을 받아도 다만 손가락 하나를 세웠다.

강설(講說)

숨이 턱 막히는 소식이다. 아니 숨이 뻥 뚫리는 소식이다. 헤아리려고 들면 이빨도 들어가지 않고 손잡을 틈새도 없다. 그저 숨이 턱 막힐 뿐이다. 그러나 헤아림을 놓아버리면 이보다 더 통쾌한 소식도 드물 것이다. 익은 봉선화 열매(씨방)는 바람에도 터진다.

송(頌)

對揚深愛老俱胝로다
대 양 심 애 노 구 지

宇宙空來更有誰리오
우 주 공 래 갱 유 수

曾向滄溟下浮木하니
증 향 창 명 하 부 목

夜濤相共接盲龜로다
야 도 상 공 접 맹 구

- **대양(對揚)**

  대등함. 필적함. 임금의 명령을 받들어 널리 알림. 여기서는 구지선사가 말로 설명하지 않고 손가락 하나를 세우는 것을 가리킴.

- **심애(深愛)**

  깊이 사랑하다. 아주 좋아하다. 아주 마음에 들다.

- **공래(空來)**

  통틀어. 어느 곳이건.

- **창명(滄溟)**

  큰 바다.

• **부목(浮木). 맹구(盲龜)**

'뜬 나무'와 '눈먼 거북'은 잡아함 15권 406경 〈맹구경(盲龜經)〉에 설명한 '맹구우목(盲龜遇木)'의 얘기를 가리킴.

『부처님께서 베살리의 원숭이 연못 옆 중각강당에 있을 때의 일이다. 어느 날 제자들과 함께 연못 주변을 산책하시던 부처님께서 문득 아난다에게 이런 것을 물었다.

"아난다야, 큰 바다에 눈먼 거북이 한 마리가 살고 있다. 이 거북이는 백 년에 한 번씩 물 위로 머리를 내놓는데 그때 바다 한 가운데 떠다니는 구멍 뚫린 나무판자를 만나면 잠시 거기에 목을 넣고 쉰다. 그러나 판자를 만나지 못하면 그냥 물속으로 들어가야 한다. 그런데 이때 눈먼 거북이가 과연 나무판자를 만날 수 있겠느냐?"

"그럴 수 없습니다."

"그래도 눈먼 거북이는 넓은 바다를 떠다니다 보면 서로 어긋나더라도 혹시 구멍 뚫린 나무판자를 만날 수 있을지도 모른다. 그러나 어리석고 미련한 중생이 육도윤회의 과정에서 사람으로 태어나기란 저 거북이가 나무판자를 만나기보다 더 어렵다. 왜냐하면 저 중생들은 선(善)을 행하지 않고 서로서로 죽이거나 해치며, 강한 자는 약한 자를 해쳐서 한량없는 악업을 짓기 때문이니라. 그러므로 비구들이여, 너희들은 사람으로 태어났을 때 내가 가르친 '네 가지 진리(四聖諦)'를 부지런히 닦아라. 만약 아직 알지 못하였다면 불꽃 같은 치열함으로 배우기를 힘써야 한다."』

노련한 구지화상의 멋진 대응 썩 좋다네.
온 세상을 통틀어 다시 누가 있으리오.
일찍이 큰 바다 향해 나무를 던져 띄워,
밤 파도 속에서 눈먼 거북 제도하였네.

송(頌)

노련한 구지화상의 멋진 대응 썩 좋다네.

온 세상을 통틀어 다시 누가 있으리오.

강설(講說)

설두스님은 구지화상의 손가락 세우는 지도법을 대단히 높이 평가하고 있다. 그와 같은 이가 다시 또 있겠는가 하고 밝힐 정도니까. 하긴 그보다 완벽한 대응이 어디 있으랴. 손가락 하나로 모든 것을 다 밝혀버렸으니, 정말 탁월한 선지식이다.

문제는 그 지도법에 따라 깨달음에 이르기가 결코 쉽지가 않다는 것이다. 복잡한 사람은 손가락 하나 세운 것을 두고도 다시 스스로 복잡하게 얽혀 들어가니까.

그럼 손가락 하나만 세우면 만사형통일까?

구지선사에게는 동자승 제자가 있었다. 동자승은 법을 묻고자 찾아온 스님들을 향해 스승 구지선사가 어떻게 하는지를 잘 알고 있었다. 어느 날 스승이 출타한 사이에 법을 묻고자 찾아온 스님이 있었다. 그 스님은 구지선사가 어떻게 지도하는지를 동자승에게 물었다. 동자승이 객스님에게 예를 갖춘 후에 질문을 하라고 말했다.

객스님이 큰절을 올리고 자신이 궁금한 것을 물었다. 그러자 동자승이 손가락 하나를 세워 보였고, 객스님은 너무나 감사하다며 인사를 하고 떠났다.

구지선사가 돌아오시자 동자승은 자랑삼아 낮에 있었던 일을 말씀드렸다. 구지선사가 동자승에게 말씀하셨다.

"나에게도 그대로 할 수 있겠느냐?"

"예!"

"불법이 무엇이냐?"

동자승이 손가락을 세웠다. 그때 구지선사의 칼이 번쩍하더니 동자승의 손가락이 잘렸다. 피가 흐르는 손을 움켜주고 비명을 지르는 동자승을 구지선사가 불렀다.

"얘 동자야!"

동자가 돌아보자, 구지선사가 손가락을 세워 보였다. 바로 그 순간 동자가 깨달았다.

동자승은 무엇을 보았는가?

자칫 잘못하다간 손가락만 잘리고 소득이 없을지도 모른다.

송(頌)

일찌이 큰 바다 향해 나무를 던져 띄워,
밤 파도 속에서 눈먼 거북 제도하였네.

강설(講說)

구지선사가 손가락 세운 것은 캄캄한 밤 거친 바다에 널빤지를 던진 것과 같다. 그러나 그 널빤지를 만나 살아날 자가 누구인가? 먼 나라 흘러간 얘기 듣듯이 하다간 파도에 목숨을 보전키 어려울 것이다.

사람 몸 받기 어렵고, 불법 만나기 어려우며, 선지식 만나기 어렵고, 깨닫기 어렵다. 그러나 불가능한 일은 없다네.

제20칙

용아 서래의
(龍牙西來意)

용아스님,
달마조사가 오신 뜻을 묻다

"앉고 기대어 방편 좇아
조사 등불 이으려 하지 말라"

열사의 사막 유적에도 어김없이 달이 떠오른다.
여기 무슨 뜻이 있을까?

용아 거둔(龍牙居遁, 835~923)스님은 14세에 출가하여 제방을 편력하면서 취미, 임제, 덕산 등의 대선지식의 지도를 받았지만 깨닫지 못하다가, 동산 양개(洞山良价)선사에게 참학하여 깨달음에 이른다. 그 후 담주(潭州) 용아산(龍牙山)에 머물며 89세까지 후학을 지도하였다.

강설(講說)

진리란 온 산천에 쌓여 있고 온갖 벽마다 부딪칠 정도로 우리 곁에 가득한 것이다. 하지만 분별을 일삼으며 기회를 놓치는 사람에게는 모든 노력이 부질없어질 따름이다.

만약 뛰어난 선지식이 나서서 큰 바다와 같은 불법이라고 내세우는 것도 뒤엎어 버리고, 태산 같은 전통이라며 움쩍 않는 것도 걷어차 버리며, 고상한 품격이라고 내세우는 것도 호통쳐 흩어버리고, 천하를 품은 듯 일체를 부정하는 태도까지 쳐부수어 버려서, 어느 때 어떤 경우를 만나더라도 세상 모든 사람들이 한 마디도 할 수 없게 해 버린다면, 아무도 그를 어쩌지 못할 것이다.

본칙(本則)

擧 龍牙問翠微호대 如何是祖師西來意
거 용아문취미 여하시조사서래의

닛고 微云 與我過禪板來하라 牙過禪板
미운 여아과선판래 아과선판

與翠微어늘 微接得便打하니 牙云 打卽
여취미 미접득변타 아운 타즉

任打어니와 要且無祖師西來意니다 牙又
임타 요차무조사서래의 아우

問臨濟호대 如何是祖師西來意닛고 濟云
문임제 여하시조사서래의 제운

與我過蒲團來하라 牙取蒲團過與臨濟
여아과포단래 아취포단과여임제

어늘 濟接得便打하니 牙云 打卽任打어니와
제접득변타 아운 타즉임타

要且無祖師西來意니다
요차무조사서래의

- **선판(禪板)**

  오래 좌선하여 피곤할 때 잠시 기대어 쉬기 위한 도구.

- **포단(蒲團)**

  좌선할 때 깔고 앉는 도구.

이런 얘기가 있다.

용아스님이 취미선사께 여쭈었다. “무엇이 조사께서 서쪽에서 오신 뜻입니까?”

취미선사께서 말씀하셨다. “내게 선판을 가져다주게.”

용아스님이 선판을 가져다 취미선사께 드리니, 취미선사가 받자마자 곧바로 (선판으로) 쳤다.

용아스님이 말씀드렸다. “때리시려면 맘대로 때리십시오. 그렇지만 조사께서 서쪽에서 오신 뜻은 없습니다.”

용아스님이(뒷날) 다시 임제선사께 여쭈었다. “무엇이 조사께서 서쪽에서 오신 뜻입니까?”

임제선사께서 말씀하셨다. "내게 포단을 가져다주게."

용아스님이 포단을 집어 취미선사께 가져다드리니 임제선사가 받자마자 곧바로 (포단으로) 쳤다.

용아스님이 말씀드렸다. "때리시려면 맘대로 때리십시오. 그렇지만 조사께서 서쪽에서 오신 뜻은 없습니다."

강설(講說)

역대로 수많은 수행자가 달마조사께서 인도로부터 중국으로 건너오신 뜻을 두고 목숨을 걸었었다. 그리고 웃은 이가 간혹 있었고, 무수한 이가 목숨을 잃었다. 만약 두렵다면 그만 두면 된다. 그래도 죽음을 면할 수는 없다. 그게 싫다면 용감하게 목숨을 걸 일이다. 그래도 목숨을 잃는다.

용아스님은 대단한 용기를 지녔다. 대선지식 앞에서도 결코 주눅이 들지 않고 공부하는 자세를 보였다. 그러나 안타깝게도 아직 시절인연은 아니었던 모양이다. 그랬기 때문에 달마조사께서 중국에 오신 뜻을 밖에서 찾고 있는 것이다. 물론 열심히 추구하기는 했으나 찾는다고 찾아지는 것이 아님을 어쩌겠는가. 취미선사와 임제선사는 두 번씩이나 가르침을 베풀었다. 그러나 젊은 용아스님은 있음과 없음의 구렁텅이를 벗어나지 못하고 있다.

선판과 포단을 들고 오면서도 깨닫지 못했고, 얻어맞으면서도 깨닫지 못했다. 선판과 포단은 깨달음을 목적으로 수행하는 이가 사용하는 도구이다. '무엇이 조

사께서 서쪽으로부터 오신 뜻인가?'라고 추구하는 것은 무슨 목적인가? 두 선지식은 너무나 친절하게 지도해 주셨지만, 안타깝게도 아직 외가 익지 않아 쓰디쓴 맛이 난다.

송(頌)

龍牙山裏龍無眼이라
용 아 산 리 용 무 안

死水何曾振古風고
사 수 하 증 진 고 풍

禪板蒲團不能用하니
선 판 포 단 불 능 용

只應分付與盧公하라
지 응 분 부 여 노 공

〈這老漢이 也未得勦絶일새 復成一頌하노
저 노 한 야 미 득 초 절 부 성 일 송

라〉

盧公付了亦何憑고
노 공 부 료 역 하 빙

坐倚休將繼祖燈하라
좌 의 휴 장 계 조 등

堪對暮雲歸未合하고
감 대 모 운 귀 미 합

遠山無限碧層層이로다
원 산 무 한 벽 층 층

- **고풍(古風)**

  옛 가풍. 부처님과 조사님들이 마음과 마음이 서로 통하는 경지. 치열하게 깨달음을 추구하는 전통. 한 말씀에 곧바로 깨달음에 이르는 전통.

- **노공(盧公)**

  육조대사의 성이 노(盧)씨인 까닭으로 육조대사라고 보기도 했으나, 송의 흐름으로 보아 설두스님 자신을 가리킨다고 보는 것이 옳음.

- **좌의(坐倚)**

  앉고 기댐. 앞에 나온 포단과 선판을 가리킴.

- **감대(堪對)**

  너무나 아름다운 모습을 대하는 것.

- **모운귀미합(暮雲歸未合)**

  여기저기 흩어진 석양의 구름이 어둠에 잠기려 하는 모습.

용아산 속의 용에게는 눈이 없구나.
죽은 물에서 어찌 거듭 옛 가풍 펼치랴.
선판도 포단도 능히 쓰지를 못하니,
그만 노공에게 넘겨주는 것이 마땅하리.

이 늙은이가 완전히 끝맺지 못했다 싶어,
다시 한 게송을 짓는다.

노공이 넘겨받아도 또한 어찌 의지하랴.
앉고 기대 조사 등불 이으려 하지 말라.
아름다워라 해질 무렵 구름은 어둠에 잠기려 하고,
먼 산은 아득히 푸른빛으로 늘어섰네.

송(頌)

용아산 속의 용에게는 눈이 없구나.
죽은 물에서 어찌 거듭 옛 가풍 펼치랴.
선판도 포단도 능히 쓰지를 못하니,
그만 노공에게 넘겨주는 것이 마땅하리.

강설(講說)

용아스님은 아직 안목을 갖추지 못했기에 그저 '조사가 서쪽에서 오신 뜻'에 매달리고 있을 뿐이다. 그러니 어찌 조사와 조사가 마음과 마음으로 통하여 더 이상 의심이 없는 경지에 도달할 수 있었겠는가. 취미선사와 임제선사가 너무나 친절하게도 선판과 포단을 써서 이끌어 주었건만, 애석하게도 후려칠 기회를 상대에게 넘기고도 여전히 모르는구나. 설두선사께서 노파심으로 한 말씀 하셨다. "아아! 나라면 멋지게 보여주었을 터인데."

송(頌)

이 늙은이가 완전히 끝맺지 못했다 싶어, 다시 한 게 송을 짓는다.

강설(講說)

설두 노인네가 용아스님을 나무라느라고 '조사서래의'를 제대로 밝히지 못한 것을 안타깝게 생각했나 보다. 참 노인네들 마음이란 어쩔 수 없다. 쯧쯧!.

송(頌)

노공이 넘겨받아도 또한 어찌 의지하랴.
앉고 기대 조사 등불 이으려 하지 말라.
아름다워라 해질 무렵 구름은 어둠에 잠기려 하고,
먼 산은 아득히 푸른빛으로 늘어섰네.

강설(講說)

포단이나 선판 등의 방편 따위를 구태여 쓸 게 무어 있겠는가. 그런 방편을 좇아 조사들의 흉내를 내어 봐야 아무 소용이 없지. 암 그렇고말고. 달마조사께서 중

국에 오신 뜻을 알려고 하는가? 눈을 들어 보라. 마침 석양이라. 구름은 여기저기서 아름다운 색으로 어둠에 잠기기 전이고, 겹겹이 늘어선 산들은 아득히 푸른빛을 보이고 있지 않는가.

아차차! 구름 따라 오가느라 분주하고, 산봉우리 헤아리느라 정신을 차리지 못하는구나. 쯧쯧!

송강스님의 벽암록 맛보기 2권
(11칙~20칙)

역해 譯解 시우 송강 時雨松江

사진 시우 송강 時雨松江

펴낸곳 도서출판 도반

펴낸이 김광호

편집 김광호, 이상미, 최명숙

대표전화 031-983-1285

이메일 dobanbooks@naver.com

홈페이지 http://dobanbooks.co.kr

주소 경기도 김포시 고촌읍 신곡리 1168번지